文春文庫

ガリレオの苦悩

東野圭吾

JN264528

文藝春秋

ガリレオの苦悩・目次 contents

ガリレオの苦悩

第一章 落下る

おちる

1

　つい先程までぱらついていた雨はやんだようだ。今日はついている――ワゴンタイプのスクーターから降りながら、三井礼治はほんの少し儲けたような気分になっていた。雨が本降りの最中にも配達はしたが、いずれも駐車場が地下にあるマンションで、全く濡れずに部屋までピザを送り届けられたのだ。

　ケースに入れているとはいえ、宅配物を、しかも食べ物を持って雨の中を行き来するのは気持ちのいいものではない。身体が濡れるのも不快だ。

　スクーターに鍵をかけ、ピザを抱えて歩きだそうとした時、三井の顔の前に大きな傘がぶつかってきた。彼はあやうくピザを落とすところだった。

　あっと声を出したが、傘をさした男は何もいわずに歩き去ろうとしている。濃い色のスーツを着た男だった。サラリーマンのようだ。雨がやんでいることに気づかず、傘をさしたまま歩いていたらしい。しかも、その傘のせいで前が見えなかったのだろう。

「ちょっと待てよ、あんた」

三井は声をかけながら駆け寄り、鞄《かばん》を提げている男の腕を摑んだ。

男が振り向いた。迷惑そうに眉をひそめている。強面《こわもて》ではなかったので、三井は高圧的に出ることにした。

「ぶつかっといて、シカトかよ。こっちは商品を落とすところだったんだぜ」

「あ……すまん」男はそういって顔をそむけると、また歩きだそうとする。

「すまんって、それだけかよ」

三井が舌打ちをした時だった。彼の目の端に、奇妙なものが入った。黒い影のようなものがすごい勢いで縦に走ったのだ。

その直後、ずしんと腹に響くような音がした。そちらに目を向けると、マンションの横の道路上に、黒い塊が横たわっていた。たまたまそばを通りかかっていた女性が、悲鳴をあげて後ずさりした。

「うわっ、うわっ、うわわ」

三井はおそるおそる近寄っていった。悲鳴をあげた女性は、そばの電柱の陰に隠れるように立っている。

黒い塊と思われたものは明らかに人の形をしていた。しかし手足の向きは、ありえない方向に曲がっていた。長い髪が広がっていて顔は見えない。見えなくて幸いだったかもしれない。頭部と思われる部分から、ゆっくりと液体が流れ出てきた。どよめきがあちらこちらから聞こえた。気づくと三井の周囲に人が集まってきた。飛び降りか、と誰かがいった。それでようやく三井は事態を理解した。すげえ、すげえ、すげえ、マジかよ、すっげえもん見ちゃったよ――たちまち興奮した。このことを仲間たちに話したら、どれほどうけるだろうとわくわくした。

しかし彼はそれ以上、死体に近づけなかった。もっと近くで見たいと思いつつ、やはり怯《おび》えていた。

救急車を呼べとか、警察に通報といった言葉が耳に入ってきた。周りの人々は落ちる瞬間を見ていないからか、幾分冷静のようだった。

三井も少しずつ落ち着きを取り戻してきた。それと同時に自分が大事に抱えているもののことも思い出した。

いけねえ、まずは配達だ――彼はピザを手に駆けだした。

2

現場はマンションの一室だった。間取りは2ＬＤＫ。しかもリビングルームはどう見ても十四畳以上ある。ほかの洋室もゆったりとしている。女の独り暮らしといってもいろいろとあるものだ、と内海薫《うつみかおる》は自分の部屋を思い浮かべながら感じた。もっとも、あの部屋が狭く感じられるのは、多分に片づけを怠けているせいかもしれなかった。最後に掃除機をかけたのはいつだったか、まるで思い出せない。

この部屋は整理が行き届いていた。高級そうなソファには、丸いクッションがふたつ載っているだけだし、テレビの周りや本棚の中もすっきりとしている。特にダイニングテーブルの上に何も載っていないというのは、薫にとっては考えられないことだった。

当然、床の上も奇麗だ。ベランダに出るガラス戸のそばに掃除機が置かれているが、それを使って毎日のように掃除をしているのだろう。ひとつだけ違和感があるとすれば、その掃除機の脇に鍋が落ちていることだ。外れた蓋はテレビのそばまで転がっていた。

料理を始めるところだったのだろうかと思い、薫はキッチンを覗いた。流し台の横にオリーブオイルの瓶が載っていた。水切りの中にはアルミボウル、包丁、小皿といったものが入っている。流し台の三角コーナーには、トマトの皮が捨てられていた。

冷蔵庫の扉を開けてみた。最初に目についたのは、大皿に盛られたトマトとチーズだった。白ワインが一本、その隣に横たわっている。

誰かとワインで乾杯でもするつもりだったのかな、と薫は思った。

部屋の住人の名前は江島千夏《ちなつ》といった。三十歳で銀行勤めをしている。運転免許証の写真を見た印象は優しくおっとりした感じだが、じつは気が強くて計算高いタイプではないかと薫は睨んでいた。丸顔で垂れ目気味だからといって、お人好しだとはかぎらない。

リビングルームに戻った。何人かの刑事たちがベランダを頻繁に出入りしていた。薫は彼等の動きが一段落するまで待っていることにした。早く見たところで何か得するわけではないと割り切っている。我先にと焦るところが男の子供っぽいところだとも思う。

薫は壁際に置かれたリビングボードに近づいた。横にマガジンラックが置いてあり、雑誌が入っている。それを一瞥《いちべつ》した後、リビングボードの引き出しを開けた。二冊の写真ファイルが見つかった。彼女は手袋を嵌《は》めた手で慎重に開いた。一冊はどうやら同僚の結婚式に出席した時のものらしい。もう一冊には、飲み会や職場の行事に参加した時のものと思われる写真が収められていた。殆どの写真が女性と一緒に写ったもので、男性とのツーショットは一枚もなかった。

写真のファイルを戻して引き出しを閉めた時、薫の先輩である草薙《くさなぎ》俊平が白けた表情で戻ってきた。

「どうですか」彼女は訊いた。

「何ともいえないな」草薙は下唇を突き出した。「ただの飛び降りじゃないかと思うんだけどな。争った形跡もないし」

「でも、玄関の鍵はあいてたんですよ」

「それは知ってる」

「部屋に一人でいたのなら、鍵はかけてると思うんですけど」

「自殺をするような精神状態だったら、ふつうとは違うことだってするだろ」

薫は先輩刑事を見つめ、かぶりを振った。

「どんな精神状態でも、習慣的になっていることは変わらないと思うんです。ドアを開けて中に入り、ドアを閉めたら鍵をかける——それって癖になってるはずです」

「誰でもそうだとはかぎらないだろ」

「独り暮らしをしている女性で、それが習慣になってない人はいないと思います」

やや強い口調で薫がいうと、草薙は不愉快そうに口をつぐんだ。それから気を取り直すように鼻の横を掻いた。

「じゃあ、おまえの考えを聞こうか。どうして鍵はかかってなかったんだ？」

「簡単なことです。誰かが鍵をかけずに出ていったからです。つまり、この部屋にはもう一人いたことになります。おそらく亡くなった女性の恋人です」

草薙は片方の眉をぴくりと動かした。

「大胆な推理だな」

「そうでしょうか。冷蔵庫の中を御覧になられましたか」

「冷蔵庫？　いや」

薫はキッチンに行くと冷蔵庫のドアを開け、大皿とワインの瓶とを取り出した。それを草薙の前まで持っていった。

「独り暮らしの女が自宅でワインを飲まないとはいいません。でも自分のためだけに、オードブルをこんなに奇麗に盛りつけたりはしません」

草薙は鼻の上に皺を寄せ、頭を掻いた。

「所轄さんたちが明日の朝から会議をするらしいから、とりあえずそこに顔を出そう。その頃には解剖の結果も出てるだろうしさ。議論するのはその後だ」そういって彼は顔の前の蝿を追い払うようなしぐさをした。

先輩刑事の後に続いて部屋を出ようとした時だった。玄関の靴箱の上に段ボール箱が載っているのを見て、薫は靴を履くのを中断した。

「どうした？」草薙が訊いてくる。

「これ、何でしょう？」

「宅配便みたいだな」

「開けてもいいですか」

段ボール箱はまだガムテープで閉じられたままだった。

「勝手に触るな。どうせ所轄さんが中身を確かめるだろう」

「今すぐ見たいんですけど。所轄さんに断ればいいですか」

「内海」草薙が眉をひそめた。「目立つようなことはするな。ただでさえおまえは浮いてんだから」

「私、浮いてますか」

「いや、そうじゃなくて……みんなが注目してるってことだよ。だから、ちょっとは遠慮しておけ」

何だそれ、と思いながら薫は頷いた。不可解なことを無理矢理受け入れなければならないのは、昨日今日のことではない。

翌朝、薫が所轄である深川警察署に行くと、草薙が不機嫌そうな顔で待っていた。上司の間宮も一緒だった。

薫の顔を見て、ごくろうさん、と間宮はいかつい顔でいった。

「係長……どうしてここに？」

「呼ばれたからだ。うちが担当することになった」

「担当って……」

「他殺の疑いが出てきたんだ。被害者の頭を殴ったと思われる凶器が、部屋から見つかった。ここに合同捜査本部を置くことになりそうだ」

「凶器？　何だったんですか」

「鍋だよ。長い把手《とって》のついたやつだ」

「ああ」薫は床に転がっていた鍋を思い出した。「あれがそうだったんだ……」

「鍋の底に、微量だが被害者の血痕がついていた。殴り殺すか、昏倒させるかした後、ベランダから落としたんだろう。ひどいことをする奴もいたもんだ」

話を聞きながら、薫は草薙のほうを盗み見した。彼は彼女の視線から逃れるように横を向き、大きな空咳をひとつした。

「犯人は男でしょうか」薫は間宮に訊いた。

「まず間違いない。女にできる芸当じゃない」

「見つかったのは凶器だけですか」

「指紋を消した跡がある。凶器の把手の部分、テーブル、それからドアノブだ」

「指紋を消したということは、強盗とかではないんでしょうね」

強盗ならば手袋を使うはずだからだ。

「顔見知りの犯行と考えていいだろう。凶器も、そこにあったものを使っているしな。財布やカード類も手つかずだし、唯一なくなっているのは携帯電話だ」

「ケータイが……。履歴を調べられたらまずいと思ったんでしょうね」

「だとしたら間抜けな話だな」草薙がいった。「通話記録なんてものは、電話会社に当たればすぐにわかるものなのに。顔見知りってことを、わざわざ白状しているようなものだ」

「気が動転していたんだろう。どう見ても計画性のある犯行じゃないからな。電話会社から通話記録を取り寄せて、男性関係を中心に片っ端から当たってみよう」間宮が締めくくるようにいった。

この後、すぐに捜査会議が開かれた。その場では、主に目撃情報についての報告がなされた。

「転落した直後、マンションの周辺にはすぐに人が集まってきたようですが、不審な人物は目撃されていません。江島千夏の部屋は七階ですが、六階の住人が物音を聞いて窓の下を見た後、すぐに部屋を出てエレベータに乗っています。で、乗る前にエレベータは七階に止まっていて、その住人が乗る時には無人だったそうです。もし何者かが江島千夏を突き落とした直後に逃走したのだとしたら、そのタイミングでエレベータが七階に止まったままだったということはないのではないか、と思われます。尚、エレベータは一基しかありません」初動捜査に当たった五十歳ぐらいの捜査員が落ち着いた口調でいった。

犯人が非常階段を使用した可能性についても検討された。しかし階段は転落現場と同じ側にあり、おまけに外階段なので、もし犯人が下りていったなら、集まっていた野次馬から丸見えになるはずだという意見が深川署の捜査員から出された。

犯人は被害者を落とした後、どこに消えたのか——それが現時点での最大の謎だった。

「ひとつ考えられることがありますね」間宮が意見を述べた。「犯人が同じマンションの住人ならどうですか。犯行後、自分の部屋に戻れば、誰にも目撃されずに済みます」

警視庁捜査一課の係長の意見に、誰もが大きく頷いた。

3

岡崎光也という男が深川署に名乗り出てきたのは、その夜のことだった。ちょうど薫と草薙が聞き込みから戻ってきたところだったので、二人で会うことになった。

岡崎は三十代半ばの痩せた男だった。短い髪を奇麗に分けている。セールスマン、というイメージを薫は抱いたのだが、職業を尋ねてみると、本当にそうだった。大型店舗で有名な家具店で営業をしているらしい。

岡崎によれば、昨日の夜、江島千夏の部屋を訪れたという。

「彼女は大学のテニス同好会の後輩なんです。学年は五つも離れてるんですけど、僕は卒業後もよく遊びに行ってたものですから、彼女とも顔見知りになりました。ずいぶん長い間会ってなかったんですが、半年ほど前に街でばったり会いましてね、それ以来、メールのやりとりなんかをするようになりました」

「メールだけですか。デートとかは?」薫は訊いてみた。

岡崎は慌てた様子で手を横に振った。

「そういう関係じゃありません。昨日、彼女の部屋に行ったのは、一昨日の昼間に電話電話をもらったからです。ベッドを買い換えたいからカタログを持ってきてほしい、と
「後輩が先輩を部屋に呼びつけた、というわけですか」草薙が語尾に疑問符を付けた。

「私どもの場合、部屋に伺うのが一番いいんです。どういう部屋なのかがわからないと、いい品をお勧めすることができません」

たとえ相手が後輩であっても通常と同様の対応をする、ということらしい。

「そういうことはこれまでにも何度かあったんですか。つまり、江島さん相手に商売をされたことはありますか」草薙が訊く。

「ありました。ソファとかテーブルを買ってもらいました」

「なるほど。で、昨日は何時頃に江島さんの部屋に行かれたんですか」

「八時という約束をしていました。さほど遅れなかったはずです」

「その時、江島さんに何か変わった様子は?」

「特に気になったことはありません。カタログを見せて、いろいろなベッドがあることを説明しました。江島さんは頷きながら聞いてました。結局、その場では決められなかったんですけどね。ベッドの場合、やはり実物を触ってから決めたほうがいいとアドバ

イスしました」

「どこで話をされたんですか」

「部屋の中で、です。リビングルームのソファに座って……」

「何時頃までいらっしゃったんですか」

「そうですね。たしか八時四十分頃には部屋を出たと思います。後から来客があるようなことをいってましたし」

「客が？　何時頃に来ると？」

「さあ、そこまでは……」岡崎は首を捻った。

「あのう」薫はいった。「玄関に靴箱がありましたよね」

「はっ？」

「靴箱です。江島さんの部屋の玄関に」

「ああ……そうですね、ありましたね。いや、でもあれはあの部屋に備え付けのもので、当店の品物では……」

「そうじゃなくて、靴箱の上に段ボール箱が載っていたと思うんですけど、覚えておられますか」

「段ボール箱……」岡崎は戸惑ったように視線を動かした後、小さく首を傾げた。「どうでしょう。あったような気もしますが、よく覚えてません。申し訳ないんですが」

「そうですか。それならいいです」

「ええと、その段ボール箱がどうかしたんでしょうか」

「いえ、何でもありません」薫は手を振ってから、草薙のほうを見て、小さく頷いた。質問を割り込ませたことを詫びたつもりだった。

「事件のことはいつお知りになったんですか」草薙が訊いた。

「ニュースを見たのは今日になってからです。ただ、事件そのものは、もっと前から知っていたといいますか、起きた時から知っていたといいますか……」岡崎の歯切れが突然悪くなった。話の意味もよくわからない。

「どういうことですか」

「じつは私、見ているんです。あの、落ちた瞬間をです」

えっ、と薫は草薙と共に声をあげた。

「江島さんの部屋を出た後、しばらくあの近所にいたんです。たしか別のお得意様が近くにいらっしゃったはずだと思い出しまして、挨拶だけでもしておこうと思って歩き回っていたわけです。でも結局そのお宅を見つけられなくて、またあのマンションのそばまで戻ってきた時、あの転落事件が起きたんです。それだけでもびっくりしましたが、今日のニュースで江島さんだったと知り、びっくりを通り越して怖くなってしまいました。だって、自分が会ってきた人が、その直後に殺されたんですからね。それで何かお役に立てるかもしれないと思って、こうして名乗り出たというわけです」

「それはどうもありがとうございます。貴重な情報です」草薙は頭を下げた。「落ちた時、そばにいたとおっしゃいましたが、当然お一人だったわけですよね」

「もちろんそうです」

「そうですか」

「それが何か？」

「いやあ、せっかく貴重な情報を提供してくださった方にこういう言い方をするのはまことに心苦しいのですが、我々の仕事というのは何事につけ裏づけを取らないことには始まらないんです。ですから今のままですと、岡崎さんが江島さんの部屋に行ったということだけが捜査記録に残るわけでして……」

「ははあ」岡崎は意外そうな顔で草薙と薫とを見比べた。「私に疑いがかかると？」

「いえ、そういうわけではないんですが」

「江島さんが落ちた時、たしかに私は一人でしたが、そばに人がいないわけではありませんでしたよ。むしろ、話しかけられているところでした」

「誰にですか」

「ピザ屋の店員さんです。たしか、『ドレミピザ』だったと思うんですけどね」

岡崎によれば、宅配中の店員から呼び止められ、何か文句をいわれたということだった。江島千夏が転落したのは、その直後だという。

「あの店員さんの名前、聞いておけばよかったなあ」岡崎は悔しそうに唇を噛んだ。

「いえ、こちらで確認できると思いますから、大丈夫です」

草薙の言葉に、「それならいいんですけど」と岡崎は安堵の笑みを浮かべた。

「顔写真の付いた身分証か何かをお持ちではないですか。できればコピーさせていただきたいのですが。もちろん、確認が終われば破棄します」

「そういうことなら構いません」岡崎は社員証を出してきた。そこに貼られた写真には、正面を向き、口元にうっすらと笑みを浮かべた彼が写っていた。

4

岡崎を帰した後、二人で間宮のところへ報告にいった。

「つまり被害者は、家具屋を帰した後、誰かと会う約束をしていたというわけか」間宮は腕組みをした。

「これで大皿のオードブルの謎も解けたな」草薙が薫に囁《ささや》いた。

「状況から被害者と深い仲にある男と考えて、まず間違いない」間宮が立てた人差し指を振った。「で、その男が、事件から丸一日経った今も名乗り出てこないのはおかしい。

何らかの形で事件に関わっているとみていいだろう」

「ひとつ気になることがあります。被害者は、次の来客とは何時に会う約束をしていたんでしょうか」薫は上司と先輩刑事を交互に見た。

「家具屋が帰ったのが八時四十分頃ってことだったから、九時頃に客が来ることになっていたんじゃないか」

そう答えた草薙の顔を薫は見返した。

「だとすると、犯人が部屋に入ってから事件が起きるまで、十分程度しかありませんよね」

「十分あれば犯行は可能だろ」

「それはそうですけど、凶器は鍋ですよ」

「それがどうした」

「犯行は計画的なものではない、という話でしたよね」

おっ、と声を漏らしたのは間宮だ。「なるほどな。そういうことか」

「何ですか、係長まで」

「まあとにかく、内海の話を聞いてみよう。――続けてくれ」

「犯行が計画的なものじゃなくて衝動的なものなのだとしたら、そうなってしまった理由があるはずです。訪問からたった十分の間に、衝動的に殺すような何かが起きたということでしょうか」

間宮はにやにやして草薙を見上げた。

「どうする、草薙刑事。若手女性刑事の指摘はなかなか鋭いぞ」

「じゃあ、犯人が部屋を訪れたのは、九時よりもう少し前だったのかもしれない。八時四十五分とか」

「訪問の約束をするには、やけに中途半端な時間ですね」

「そんなのは人の好きずきだろ」

「それはそうですけど」

「内海」間宮がじろりと睨んできた。「おまえ、何かいいたいことがあるのか」

薫は俯き、唇を結んだ。いいたいことはあった。しかし自分の感覚が果たして彼等に理解してもらえるかどうか自信がなかった。

「何でもいいからいってみろ。黙ってたんじゃわからん」

間宮にいわれ、薫は顔を上げた。ふっと息を吐いた。

「宅配便の荷物です」

「宅配便？」

「江島千夏は宅配便を受け取っています。玄関の靴箱の上に置いてありました。受け取ったのは昨日の夕方のようです」

「おまえ、ずっとあの箱にこだわってるよなあ」草薙がいった。「家具屋にも訊いてたじゃないか。何がそんなに気になるんだ」

「その宅配便のことは何も聞いてないなあ。どういうものなんだ」間宮が草薙に訊いた。

「通信販売で本人が注文した品物らしいです」

「中身は？」

「そこまでは確認してませんが……」

「下着です」

薫の言葉に二人の男は、えっと声をあげた。

「おまえ、勝手に見たのか」草薙が訊いてきた。

「いいえ。でもわかるんです。中身はたぶん下着だと思います。あるいはそれに類するものです」

「何でわかるんだ」間宮が質問してきた。

薫は一瞬躊躇《ためら》った後、そのことを後悔した。敢えて平静な顔つきを心がけて続けた。

「箱に会社名が印刷してありました。その会社は有名な下着メーカーです。最近、通販で業績を伸ばしています」さらに、少し迷ったが付け足した。「女性なら、大抵知っていると思います」

先輩刑事や上司の顔に戸惑いの色が浮かんだ。特に草薙は、下品な冗談のひとつでもいいたいが、薫の前なので我慢しているといった表情だ。

「そう……か。下着か」間宮はコメントを探しているようだった。「で、何が問題なんだ」

「状況から推測しますと、被害者は宅配便で受け取った後、あの段ボール箱をずっと靴箱の上に置いていたと考えられます」

「それで？」

「来客の予定があれば、そういうことはしないと思います」

「どうして？」

「どうしてって……」薫は思わず眉根を寄せていた。「何度もいうようですが、下着だからです。他人に見せたくはありません」

「そうはいっても、新品だろ。それに箱に入ってるわけだし。大して気にすることでもないだろう。──なあ」間宮は草薙に同意を求めた。

「そう思います。それにおまえだから中身がわかったわけで、ふつうならわからないよ。ましてや男にはさあ」

薫はいらいらしたが、辛抱強く説明を続けることにした。

「男でもわかるかもしれない、そう考えるのがふつうです。たとえ新品であろうと箱に入っていようと、自分の下着に関する情報なんかは遮断したいんです。来客の予定があれば、絶対に隠します。仮にその時には忘れていたのだとしても、玄関でドアを開ける前に気づくはずです」

草薙と間宮は困ったように顔を見合わせた。女性心理に関することだけに、強く反論する自信もないのだろう。

「だけどさ、そうはいっても、実際に段ボール箱はあそこに置いてあったんだ。それとも何か、犯人が置いたっていうのか」草薙がいった。

「そんなことをいいたいんじゃありません」

「じゃあ、何だよ」

「隠す必要がなかったんじゃないかと思うんです」

「どういう意味だ？」間宮が訊いた。

「今もいいましたように、ふつうなら客が来る前に箱を隠します。相手が男性なら尚のことです。それをしなかったのは、必要がなかったからじゃないかと思うんです」

「どうして必要ないんだ。客は来たわけだろ？　家具屋が」

「ええ」

「それなら必要あるんじゃないのか」

「ふつうなら。でもひとつだけ、来客があっても下着を隠さなくていいケースがあります」

「どういうケースだ」

「その来客が恋人の場合です」薫は続けた。「岡崎光也が江島千夏の恋人なら、わざわざ段ボール箱を隠さないと思います」

『ドレミピザ木場店』は、深川署からは歩いて行ける距離にあった。問題の時間にピザを配達した人物を特定することは難しいことではなかった。三井礼治という青年だった。

「ええ、たしかにこの人だったと思います。俺がピザをスクーターから降ろしている時、ぶつかってきたんです。で、そのまま謝りもせずに行き過ぎようとするものだから、呼び止めて文句をいったんです。飛び降りがあったのはそのすぐ後です」三井は岡崎の顔写真を見ながら、はっきりとした口調でいった。

「間違いないですね」草薙が念を押す。

「間違いないです。あんなことがあったから、結構印象に残ってるんです」

「どうもありがとうございます。助かりました」草薙は写真を胸ポケットにしまい、同時に薫を睨みつけてきた。これで気が済んだか、とでもいいたそうだ。

「この人の様子、どうでした？」薫は三井に訊いた。

「どうって？」

「何か変わった点はありませんでしたか」

「えー、覚えてねえなあ」三井はしかめっ面で首を傾げた後、ふっと何かを思い出した顔になった。「そういえば、傘をさしてたな」

「傘？」

「あの時はもう雨はやんでたんです。それなのに傘なんかさしてるから、前が見えなくて人にぶつかったりするんですよ」三井は唇を尖らせていった。

5

「そういう話を江島さんとしたことは殆どないんです。ほかの刑事さんからも訊かれたんですけど、そうお答えするしかなくて」前田典子は申し訳なさそうに俯いた。白いブラウスの上からブルーのベストを羽織っている。この銀行の制服らしい。

薫は江島千夏の職場に来ていた。日本橋の小伝馬町にある支店だ。二階にある接客室の一つを使わせてもらい、江島千夏と一番親しかったという前田典子から話を聞いている。

彼女が「そういう話」といったのは、江島千夏の男性関係についてだった。前田典子によれば、江島千夏は結婚に否定的な意見を持っていたという。一生独身でも構わない、と話していたこともあるらしい。

「では、最近の様子に特に変わったところはなかったということですか」

「そうですね。少なくとも、あたしは気づきませんでした」

「では、この男性に見覚えはないですか」薫は一枚の写真を見せた。

しかし前田典子の反応は芳しくなかった。「知らない人です」

薫は小さく吐息をついた。

「わかりました。お忙しいところを申し訳ありませんでした。最後に、江島さんの机を見せていただけませんか」

「机……ですか」

「ええ。どういうところで働いておられたのかを見ておきたくて」

前田典子は、やや戸惑い気味に頷いた。「では上司に訊いてきます」

数分して、前田典子が戻ってきた。許可が下りたということだった。

江島千夏の席は、二階の融資相談窓口の近くにあった。机の上は奇麗に片づけられている。薫は椅子に腰を下ろし、引き出しを開けた。筆記具や大小様々な書類、判子などが整然と収められている。あの部屋と同じだなと薫は思った。ただしあの部屋と違い、この中には恋人の存在を仄《ほの》めかすものはなかった。

小柄な中年男が近づいてきた。

「この机、いつまで置いておかなきゃいけませんか」

「あ……それは」薫は口籠もった。

「前に来た刑事さんに、しばらくこのままにしておいてくれといわれたんですけど、うちとしても、別の人間を連れてこなきゃいけないし、そろそろ片づけたいんですけどねえ」

「わかりました。上司に確認しておきます」

よろしくお願いします、といって男性は去っていった。

薫は諦めて、引き出しを閉じようとした。その時、一枚の書類が目に留まった。

「これは何ですか」前田典子に尋ねた。

「暗証番号の変更届ですね」書類を見て、彼女は答えた。

「お客さんのものですか」

「いえ、彼女が自分のキャッシュカードの暗証番号を変えようとしていたみたいです。彼女の名前が書いてあります」

「どうして変えようとされてたんでしょうか」

「さあ、それは……」前田典子は首を傾げた。「何か問題が生じたのかもしれませんね」

薫の脳裏に、何かが引っかかった。

「すみません。もう一つお願いがあるんですが、よろしいでしょうか」思わず大きな声が出た。薫の剣幕に、周囲の人間までもが注目した。

その夜、薫は深川署の小会議室に籠もっていた。彼女の前にある段ボール箱には、江島千夏の部屋から見つかった書簡類が収められている。それら一つ一つを丹念に調べているが、期待しているものは見つかっていない。

薫がため息をついた時、ドアの開く音が聞こえた。部屋に入ってきたのは草薙だった。彼は薫を見て、苦笑を浮かべた。

「何か面白いものでも見つかったか」

「そう簡単に見つかるとは思ってません」

「一体、何を探してるんだ。スタンドプレーをするには百年早いぜ」

「スタンドプレーだとは思いません。江島千夏の人間関係を探れという指示に従って、彼女の恋人を探しているだけです」

「係長からは、マンションの住民の中に江島千夏と深い関係にあった人間がいないかどうかをまず調べろ、といわれたはずだ」

薫は深呼吸してから首を振った。

「マンション内に江島千夏の交際相手はいません」

「どうして断言できる？」

「まず、彼女の携帯電話の通話記録に、同じマンション内に住む人物の番号はありませんでした。メールアドレスも同様です」

「同じマンション内だからこそ、電話やメールを交わす必要がなかったのかもしれない」

薫は首を振った。「ありえません」

「どうして？」

「そばにいるからこそ、余計に電話をかけたくなるものです。女とはそういうものです」

草薙は気を悪くしたように黙り込んだ。女とはそういうものだ、といわれれば返す言葉がないのだろう。

「それともう一つ、私が調べたところ、このマンションにいる男性は全員が妻帯者です。そうでなければ十八歳未満です」

「それがどうかしたのか」

「被害者の結婚の対象にはなりません」

草薙は肩をすくめた。

「男女の関係に、必ずしも結婚が絡んでくるとはかぎらないぜ」

「それはわかっています。でも江島千夏さんの場合は違います。彼女は結婚を前提に交際していました」

「どうしていいきれる?」

「リビングボードの横にマガジンラックがあったのを覚えておられますか。あの中に結婚情報誌が入っていました。しかも先月発行されたばかりのものです」

薫の言葉に草薙は一旦口をつぐんだが、唇を舐めていった。

「単に結婚に憧れてただけじゃないのか。江島千夏は三十歳だったな。焦ってたって不思議じゃない」

「憧れだけで結婚情報誌を買う女なんていません」

「そうかなあ。車を買う予定はないけど、カー雑誌を買う男はいっぱいいるぜ」

「結婚と車を一緒にしないでください。私は、江島千夏には具体的に結婚を考えて付き合っている相手がいたと思います」

「もしそうなら、それこそ通話記録に残っていそうなものじゃないか。ところが今のところ、それらしき人物は見つからない。それはどういうことだ」

「見つかってるんです。見つかってるのに、見逃しているんだと思います」

草薙は腰に両手を当て、薫を見下ろしてきた。

「岡崎光也だといいたいわけだな」

薫が答えないでいると、彼は苛立ったように頭を掻きむしった。

「おまえ、被害者の職場に行ったそうだな。いろいろと聞き込みをしたそうじゃないか。それはまずいぞ。職場の聞き込みを担当してる連中から嫌味をいわれたぜ」

「すみません」

「まあ連中も、おまえだから大目に見てくれてるけどな。でも女だからって特別扱いされるのは、おまえが一番嫌なことじゃないのか」

「後で謝っておきます」

「いいよ、俺が謝っといたから。それよりおまえ、被害者の知り合いに岡崎の写真を見せて回ってるそうだな。この男を知らないかって」

薫は再び口を閉ざす。いずればれるだろうと覚悟はしていた。

「まだ岡崎を疑ってるのか」

「私の中では一番の容疑者です」

「その奇抜なアイデアについては結論が出てるはずだぜ。それにあいつが犯人なら、自分から名乗り出てきたりしないんじゃないか」

「そうでしょうか。私は岡崎が名乗り出てきたのは、携帯電話の通話記録を調べられたら、どうせ自分も調べられるだろうと思い、先手を打ってきたんだと思います」

「だったら、携帯電話を持ち去る理由がないじゃないか」

「時間稼ぎです。名乗り出るまでの間、岡崎は供述内容を必死で考えたのだと思います」

「岡崎は江島千夏が落ちるところを見ているんだ。証人だっている。それともピザ屋の店員もグルだっていうのか」

「そうはいいません」

「じゃあ、どうやったら下にいる人間が、七階にいる人間を殺せるっていうんだ」

「もちろん殺す時には岡崎は部屋にいたと思います。その後、何らかの仕掛けを使って、自分がマンションを出た後で死体が落ちるように細工したとは考えられませんか」

「離れたところにいて、遠隔操作で落とすっていうのか」

「あるいはタイマーみたいな仕掛けを使って……」

草薙は会議室の天井を見上げ、お手上げのポーズを作った。

「事件直後、江島千夏の部屋には警官が入ってるんだ。そんな仕掛けがしてあったなら、当然発見されたはずだ」

「見つからないような仕掛けだとしたら？」

「どんな？」

「それは……私にはわかりません。でもおかしいと思うんです。ピザ屋の話では、岡崎は雨がやんだのに傘をさしていたということでした。それまで岡崎は、近くを歩きまわっていたといってるんです。それなら雨がやんだことにも気づいたはずです」

草薙はゆっくりと首を振った。

「考えすぎだ。いろいろと納得できないことはあるだろうけれど、ほかに答えがないって時には、それを受け入れるべきなんだよ。岡崎はシロだ」そういって草薙は薫に背中を向けた。

「草薙さん」薫は先輩刑事の前に回り込んだ。「お願いがあります」

「なんだ」

「あの方を紹介していただけないでしょうか」

「あの方？」草薙は怪訝《けげん》そうに眉尻を曲げた後、薫の真意を悟ったらしく、口元を歪《ゆが》めた。

「帝都大の湯川学准教授です」

草薙は顔の前で手を振った。「やめておけ」

「どうしてですか。草薙さんはこれまでに何度か、湯川准教授のアドバイスによって事件を解決したと聞きました。だったら、私が協力をお願いしてもいいのではないでしょうか」

「あいつはもう警察には協力しないよ」

「どうしてですか」

「それは……いろいろと事情があるんだ。それに奴の本業は学者であって、探偵じゃない」

「事件を解決してもらおうというんじゃありません。離れた場所にいて、死体を七階のベランダから落とすことが可能かどうか、それを検証してもらいたいだけなんです」

「あいつはきっとこういうよ。科学は魔法じゃないってね。あきらめろ」草薙は薫の身体をおしのけ、廊下に出ようとした。

「待ってください。これを見てください」薫はバッグから一枚の書類を取り出した。

草薙がげんなりした顔で振り返った。「なんだ、それ」

「江島千夏の職場の机に入っていたものです。キャッシュカードの暗証番号の変更届です。まだ提出されていませんが、彼女は暗証番号を変更しようとしていたんです」

「それがどうかしたのか」

「なぜ変更しようとしたと思いますか」

「番号を誰かに知られちゃったんじゃないのか」

「いえ、たぶんそうではないと思います」

「どうしてわかる」

「彼女のカードの暗証番号は０８２９でした。でも彼女は、この番号のままではまずいと思ったんです」

「どうして？」

薫は大きく息を吸い、ゆっくりと吐き出してからいった。

「岡崎光也の誕生日が八月二十九日だからです」

「えっ……」

「もちろん偶然です。江島千夏がカードを作ったのは、岡崎と付き合うよりもはるか前のはずですから。でもその偶然の一致を、江島千夏は危険だと考えたんです。仮に岡崎と結婚すれば、カードの暗証番号が夫の誕生日と同一ということになります。銀行に勤めている彼女は、真っ先にそういうことを心配したんです」

話を聞いている草薙の顔つきが変わってきた。見開いた目に、真剣な光が宿っていた。

お願いします、と薫は頭を下げた。「湯川先生を紹介してください」

草薙が太い息を吐く音が聞こえた。

「紹介状は書いてやるよ。だけどたぶん無駄だと思うぜ」

6

封筒から取り出した便箋の中身をさらりと読み流し、湯川は再びそれを封筒に戻した。顔つきは端正だが、表情には何の色もなかった。金縁眼鏡の向こうに見える目も冷めている。

彼は封筒を机の上に置き、薫を見上げた。「草薙は元気かい？」

「お元気です」

「そうか。それならよかった」

「あのう、じつは今日お伺いしたのは――」

薫が用件をきりだそうとすると、湯川はそれを制するように右手を広げた。

「この紹介状に、こう書いてある。気が進まないだろうが、何とか相談に乗ってやってほしい、とね。彼のいう通りなんだよ。つまり僕は気が進まない」

まわりくどい言い方をする男だな、と薫は思った。学者というのは、こういう人種が多いのだろうか。

「でも以前はよく協力してくださったそうじゃないですか」

「以前はね。だけど今は違う」

「なぜですか」

「個人的な理由からだ。君には関係がない」

「話だけでも聞いていただけませんか」

「その必要はない。協力する気はないからね。それに、大体のことはこの紹介状に書いてある。手を触れず、離れた場所にいて、人をベランダから落とす方法を知りたいようだね」

「ただの人ではなく、たぶん死体です」

「どっちでもいい。とにかく、そんなことを考えるほど僕は暇じゃない。悪いけど、帰ってくれるかな」湯川は封筒を薫のほうに押した。

薫は封筒には手を伸ばさず、物理学者の眼鏡の奥を見つめた。

「やはり不可能だと？」

「そんなことは知らない。僕には関係のないことだといってるんだ。警察の捜査に関わるのは、もうやめたんだよ」湯川の口調には、ややむきになっているような響きがあった。

「警察の捜査とは考えず、単なる物理に関する相談だと受け取っていただけませんか。理科の苦手な人間が、わからないことがあるので質問しに来た、そう考えてください」

「だったら、僕以外にも教えられる人間はたくさんいる。ほかを当たってくれ」

「先生は人に教えるのが仕事のはずです。わからないことを質問しに来た学生を門前払いにするんですか」

「君は僕の教え子じゃない。君だって僕の講義を受けたことなんてないだろ？　警察の権威を使って、他人を便利屋のように利用しようとしているだけだ」

「そんなことはありませんっ」

「大きな声を出さないでくれ。じゃあ訊くが、君は今までにどれだけ科学について勉強した？　理科が苦手だといったが、それを克服する努力をしたことがあるのか？　早々に投げ出して、科学から目をそむけてきたくちじゃないのか。それならそれでいい。一生、科学とは関わらないことだ。困った時だけ警察手帳を翳《かざ》し、さあ謎を解けと科学者に命令するようなことはしないでもらいたい」

「私は命令なんて……」

「とにかく君の期待には応えられない。申し訳ないが、教える側の人間にだって、相手を選ぶ権利はある」

　薫は俯き、唇を噛んだ。

「女だからですか」

「何だって？」

「私が女だから、理系の難しいことなんかはどうせわからないだろう、そう思っておられるんじゃないですか」薫は物理学者を睨んだ。

　湯川はふっと唇を緩ませた。

「そんなことをいうと、世界中の女性科学者から石を投げられるぞ」

「でも」

「それにだ」彼は鋭い目になって薫のほうを指差してきた。「相手の対応が期待通りにならないたびに、女だからなのかとぼやくようなら、今の仕事はさっさとやめたほうがいい」

　薫は奥歯をかみしめた。悔しいが、物理学者のいうとおりだった。あらゆるハンディは覚悟の上で、この仕事を選んだはずなのだ。

　警察の権威を使って科学者に謎を解かせようとした、という指摘も的外れではなかった。湯川学の噂を聞き、相談すれば何とかしてくれるのではないかと安易に考えていたのは事実だ。

「すみません。どうしてもお力を借りたくて……」

「君が女だからとか、そういうことは関係ない。僕は警察捜査には関わらないと決めたんだよ」湯川の口調は穏やかなものに戻っていた。

「わかりました。お忙しいところ、申し訳ありませんでした」

「こちらこそ、力になれなくてすまない」

　薫は会釈し、湯川に背中を向けた。だがドアに向かう前にいってみた。

「ローソクを使ったんじゃないかと思うんです」

「ローソク？」

「死体に紐を繋いで、ベランダから吊すんです。その紐のもう一方をどこかに固定します。で、そのそばに火のついたローソクをセットします。ローソクが短くなると引火して紐が切れる――そういう仕掛けは考えられないでしょうか」

湯川の返事がないので、薫は後ろを振り向いた。湯川はマグカップでコーヒーを飲みながら窓の外を眺めている。

「あのう……」

「やってみたらいいじゃないか」彼はいった。「アイデアがあるなら試せばいい。実験で結果を得るほうが、僕なんかのアドバイスを聞くより、よっぽど有意義だ」

「実験する価値はあるでしょうか」

「価値のない実験なんかはない」湯川は即答した。

「ありがとうございます。お邪魔しました」薫は湯川の背中に向かって頭を下げた。

帝都大学を出ると、コンビニに寄った。そこでローソクとそれを立てるための台、さらにビニール紐を買い、江島千夏の部屋に向かった。部屋の鍵は警察署を出る時に預かってきた。もし湯川が捜査に協力してくれる場合には、彼に部屋を見せる必要があると思ったからだ。

部屋に入ると早速実験を始めることにした。本当は死体の代わりになるものをベランダから吊したいところだが、実際に七階から何かを落とすわけにはいかない。仕方なく、ビニール紐の一端をベランダの手すりに結びつけた。

問題は、紐のもう一端をどこに結びつけるかだった。死体の重さに耐えねばならないのだから、相当しっかりとしたものでないといけない。ところが室内を見回しても、そういう都合のいいものは見当たらなかった。

　結局、紐をキッチンまで延ばし、蛇口に結びつけることにした。そのそばにローソクを立て、火をつけた。炎の位置は、ぴんと張られた紐の五ミリほど上にある。

　時計を見ながら待った。ローソクがゆっくりと短くなっていく。

　ついに炎と紐が重なりかけた時、ジジジという音を立てて紐が燃えた。ベランダからキッチンまで張られていた紐は、音もなく床に落ちた。

　その瞬間、誰かが拍手をする音が聞こえた。薫は驚いてキッチンを出た。黒いジャケット姿の湯川が、リビングの入り口に立っていた。

「お見事。実験は成功のようだな」

「先生……どうしてここに？」

「捜査には関心がないが、実験には興味があったんでね。しかも素人学者がどんなことをするのか見てみたかった。この場所は草薙から教えてもらった」

「冷やかしですか」

「まあ、そう思ってもらって差し支えない」

　薫はむっとしてキッチンに戻った。まだ燃え続けているローソクを見つめた。

「何をしてるんだ？」後ろから湯川が訊いてきた。

「ローソクを見ています」

「何のために？」

「燃え尽きたらどうなるかをたしかめるためです」

「なるほど。現場にはローソクの痕跡がなかったわけだから、完全に燃え尽きたと考えなければいけないわけだ。しかしそれにしても、そんなに長いローソクで実験しなくてもいいんじゃないか。それが燃え尽きるには、相当時間がかかりそうだがね」

湯川にいわれ、たしかにそうだと薫は気づいた。しゃくだったが、無言でローソクの火を吹き消すと、一センチほどの長さに折り、もう一度火をつけた。

「じっと見張ってる必要もないだろ。ローソクの火は勝手に消えるさ」そういうと湯川はキッチンを出て、ソファに腰を下ろした。

薫はハサミを手にし、ベランダに出た。手すりに結びつけた紐を切り、部屋に戻った。

「念のために訊くんだけど、死体にそういうビニール紐が結びつけてあったという事実はあるのかい？」湯川が訊いてきた。

「ありません」

「すると、ローソクによって切断された後、紐はどこへ消えたんだろう？」

「それは……まだ課題です。でももしかしたら紐は死体に巻き付けてあった程度で、落ちる時に外れて、どこかへ飛んでいってしまったのかも」

「犯人はそういう都合のいいことを期待し、結果、そのとおりになったというわけだ」

「だから、まだ課題だといってるじゃないですか」

薫はキッチンのローソクを見に行った。火は消えていた。しかしローソクの痕跡は残っていた。半ば予想したことではあったが、がっかりした。

「仮に燃え尽きた時に痕跡が全く残らないとしても、犯人はローソクを使わなかったと思う」湯川が薫の後ろに立った。

「どうしてですか」

「事件の後、いつ人がここに駆けつけてくるか、犯人には予想できないからだ。思ったよりも早く人が来た場合には、まだ燃えているローソクが発見されることになる」

薫は前髪をかき上げ、ついでに頭を両手でかきむしった。

「先生って陰険ですね」

「そうかな」

「そこまでわかってるなら、なぜ先にいってくれなかったんですか。そんな実験はやっても意味がないって」

「意味がない？　僕は問題点を指摘しただけで、意味がないとはいってない。価値のない実験なんかないといっただろ」湯川は再びソファに腰を下ろし、足を組んだ。「まずはやってみる――その姿勢が大事なんだ。理系の学生でも、頭の中で理屈をこね回すばかりで行動の伴わない連中が多い。そんな奴らはまず大成しない。どんなにわかりきったことでも、まずやってみる。実際の現象からしか新発見は生まれない。僕は草薙から場所を訊いてここへやってきたけど、もし君が実験をしていなければ、そのまま帰っていただろう。そうして、おそらく二度と協力する気にはなれなかっただろうね」

「それ、褒めてくださってるんですか」

「もちろんそうだ」

「……ありがとうございます」自分でも無愛想だと思うほど低い声で、ぼそりといった。

「草薙の紹介状によれば、君一人がある人物を疑っているということだね。その根拠というのを聞かせてもらえないかな」

「いくつかあるんです」

「じゃあ、全部聞かせてくれ。なるべく手短に」

「わかりました」

薫は玄関に置かれた下着入りの段ボール箱のこと、被害者が変更しようとしていた暗証番号が岡崎の誕生日と合致していたことなどを説明した。

湯川は頷き、指先で眼鏡を押し上げた。

「なるほど。君の話を聞いていると、たしかにその人物が怪しいように思われるね。ところが彼には完璧なアリバイがあるわけか。転落を下で見ていたというのでは、文句のつけようがないね」

「でも私は、そもそも転落ということ自体に引っかかってるんです」

「どういうことだ」

「犯人は被害者の頭を殴っています。それで被害者が死に至ったのか、昏倒した程度だったのかは、まだわかっていません。でもいずれにせよ、ベランダから落とす必要はなかったと思うんです。死んだのなら、そのままにしておけばいいし、気絶しただけなら、首を絞めるなりして殺せばいいだけのことです。体重が軽いとはいえ、一人の女性をベランダに運ぶのは大変ですし、誰かに目撃されるおそれもあります。どう考えてもメリットがありません」

「自殺に見せかけようとした、とは考えられないか」

「草薙さんや係長は、そういう意見です。でもそれなら、凶器を始末していくはずです。気が動転していたんだろうと草薙さんたちはいいますけど、指紋を消す冷静さはあったんです」

「だけど、被害者が落とされたのは事実なんだろ」

「そうです。だから犯人には、自殺に見せかけられるということとは別の、もっと大きなメリットがあったんじゃないかと思うんです」

「それがアリバイ工作というわけか」

「そうです。突飛でしょうか」

湯川は黙ったままソファから立ち上がり、リビングを歩き回り始めた。

「離れた場所にいながら、死体をいかにしてベランダから落とすか。この問題自体は、さほど難しくない。最大の課題は、さっきから何度もいっているように、痕跡をどうするかだ。何かを使ったのなら、その痕跡が必ず残る」

「でも、何もありません」

「そう見えているだけだ。痕跡だと気づかず、見過ごしているんだ。この部屋に存在するすべてのものに目を向け、トリックを成立させる要素を見抜かねばならない」

「そういわれても……」

薫は室内を改めて見回した。彼女の目には、遠隔操作を行うための機械も、タイマーらしきものも見当たらなかった。

「君のアイデアは基本的には悪くない。死体を吊すには紐が必要だ。死体が落ちた後で姿を消す紐があれば問題は解決する」

「姿を消す紐？」

「その紐を切断するにはどうすればいいか。痕跡が残らないようにするには何を使えばいいか」湯川は足を止め、腰に手を当てた。「この部屋は本当に事件が起きた時のままなのかい？」

「そのはずです」

湯川は眉間に皺を寄せ、顎を撫で始めた。

「それにしてもよく片づいている部屋だな。床に殆ど何も置かれていない」

「それは私も感心したことです。凶器が落ちていただけでしたから」

「凶器？」湯川は足元を見回した。「落ちてないじゃないか」

「そりゃあそうです。鑑識が持っていきましたから」

「ふうん。で、凶器は何だったんだ」

「ステンレス製の鍋です」

「鍋？」

「長い柄のついた鍋です。かなり重くて頑丈なものでしたから、あれで殴られたら、仮に死ななくても気絶ぐらいはすると思います」

「鍋ねえ。どこに落ちてたんだ？」

「そのあたりだったと思います」薫はガラス戸のそばを指差した。「で、蓋がこのへんに転がっていました」壁際を指した。

えっ、と湯川がいった。「蓋もあったのか」

「ありましたけど」

「そうか。鍋と蓋がねえ……」

湯川はベランダのほうを向くと、直立不動の姿勢になった。そのまましばらく動かなかった。やがて彼の目は、そばに置かれた掃除機に向けられた。

不意に彼は含み笑いを始めた。笑いながら、何度も首を縦に振った。

「あのう、先生」

「君に頼みたいことがあるんだがね」湯川はいった。「買い物をしてきてほしい」

「何を買ってくるんですか」

「そんなのは決まってるだろ」湯川はにやりと笑った。「鍋だよ。犯行に使われたのと同じものを買ってきてくれ」

7

「……まずこの鍋に少量の水を入れ、火にかけます」

ビデオモニターには湯川の姿が映っていた。場所はマンションのキッチンだ。江島千夏の部屋と同じ間取りだが、内装はまるで違っている。二階の部屋を使わせてもらったのだ。

「沸騰してきました。このように水蒸気がたっぷり上がるようになれば蓋をします。さらにそのまま、一気に冷やします」

湯川は鍋を流し台に用意してあった、大きな鍋に突っ込んだ。そこには水が張ってある。さらに彼は二センチ角ほどの氷を手にした。

「この氷で蓋の蒸気穴を塞ぎます。氷は少し溶ければ、蒸気穴の形に馴染むので、ずれることはありません。ここまでくると、このように蓋はぴったりと閉じ、鍋から離れなくなります」

湯川は蓋を持ち上げた。彼のいうとおり、蓋は鍋から離れない。

「これは鍋を冷やすことで中の水蒸気が水に戻ったからです。内部の圧力が低いため、大気圧で押されて離れなくなってしまったのです。お吸い物の蓋がお椀にくっついて取れなくなることがよくありますが、あれと同じです」

湯川はリビングに移動した。鍋を床に置く。そばには細長い砂袋と掃除機が用意されている。

「この砂袋は約四十キロあります。江島千夏さんとほぼ同じ重さです。江島さんは死亡時、トレーナーを着ていましたので、砂袋にも同じ生地のカバーをかぶせてあります。トレーナーには首、胴体、腕を通す部分がありますから、このカバーにも二カ所穴を開けておきました。この穴に掃除機のコードを通します。まずコードをいっぱいまで引き出します」

彼は掃除機のコードを最後まで引っ張り出した。その後、それを砂袋のカバーに通していった。

「次はちょっと大変なんですが、がんばってやってみましょう。この砂袋をベランダまで移動させます。――よいしょ」

ベランダまで砂袋を運ぶと、湯川は掃除機をガラス戸のすぐ手前まで移動させた。さらに、ガラス戸を五センチほどの隙間を残して閉じた。

「こうすれば、コードを引っ張っても掃除機がガラス戸につかえてしまいます。これでコードの一端は固定できました。ではもう一端をどうするかですが、その前に死体を吊してしまいましょう」

湯川は反対側のガラス戸を開け、再びベランダに出た。砂袋を持ち上げると、布団を干すように手すりに載せた。さらにコードのプラグ側を持ち、ゆっくりと砂袋を外側に押した。砂袋は外側に滑り落ちそうになるが、湯川がコードをしっかりと持っているので、辛うじて止まっている。

カメラが掃除機を映した。コードが引っ張られ、掃除機はガラス戸に押しつけられている。

湯川がコードを握りしめたまま部屋に入ってきた。

「ここでさっきの鍋の登場です」彼は片手で鍋を引き寄せた。蓋のツマミにコードを巻き付け、プラグをコードの下に挟み込んだ。その上でガラス戸を、もう一方と同じように数センチを残して閉じた。コードを巻き付けられた鍋は、掃除機と同様、ガラス戸に押しつけられる格好になった。それを確認してから湯川はゆっくりと手を離した。

「これで仕掛けは完了です。どうなるのか見てみましょう。まず最初の変化は、鍋の蓋の蒸気穴にくっつけられた氷です。当然溶けていきます。溶ければ中に空気が入ります。空気が入れば大気圧に押さえつけられることもなくなり、蓋が外れます。ここでは氷が早く溶けるよう、通常よりもエアコンの設定温度を高くしてあります」

カメラは仕掛け全体を撮影している。すでに湯川の姿はフレームから外れている。

がん、という音がして鍋の蓋が外れた。同時に巻き付けてあったコードが蛇のように跳ね上がった。次の瞬間には砂袋はベランダの手すりから消えていた。

再び湯川が現れた。彼はベランダに出ると、下を覗き込んだ。

「大丈夫ですか。ああ、よかった。それはそのままにしておいてください。後で片づけにいきます。どうもありがとうございました」彼はこちらを向き、掃除機を調べた。

「見事にコードも収まっています。そして鍋も転がっています。実験完了でした」

湯川が頭を下げたところで、薫はビデオデッキとモニターのスイッチを切った。それからおそるおそる上司たちの様子を窺った。

間宮は仏頂面で椅子にもたれかかっている。草薙は腕組みをして天井を睨んでいた。ほかの先輩刑事たちの殆どは呆然としていた。

「と、いうわけなんですけど」薫はいってみた。

「草薙」間宮が口を開いた。「おまえがガリレオ先生に頼んだのか」

「俺は紹介状を書いただけです」

「ふうん」間宮は頬杖をついた。「だけどさあ、岡崎がそういうふうにやったという証拠はないんだろ」

「ありません。でも、こういう方法が存在する以上、岡崎をシロだと断定する理由もなくなったわけです」薫はいった。

「そんなことはいわれなくてもわかってるんだよ」間宮は吐き捨てた後、部下たちを見回した。「このまま打ち合わせに入る。捜査の軌道修正だ」

草薙が薫を見て、小さく親指を立てた。

8

ドアを開けると白衣姿の背中が見えた。試験管に入れた透明の液体を、下からアルコールランプで加熱し、その模様をビデオカメラで撮影している。

「危ないから、それ以上は近づくな」湯川が向こうをむいたままでいった。

「何をやってるんだ」草薙は訊いた。

「ちょっとした爆発実験だ」

「爆発？」

湯川が試験管から離れ、そばのモニターを指差した。

「そこに数字が出ているだろ。試験管内の液体の温度を示したものだ」

「九十五、となってるな。おっ、九十六に上がった」

数字はさらに上がっていく。ついには百を超え、百五に達した時、試験管から突然液体が噴き出した。その滴《しずく》は草薙たちの足元まで飛んできた。

「百五度か。大体予想通りだな」湯川は試験管に近づき、アルコールランプの火を消した。それからようやく草薙のほうを向いた。「試験管の中の液体は何だと思う？」

「俺にわかるわけがないだろ」

「見たままをいえばいい」

「見たままって、俺にはふつうの水にしか見えないけど」

「そのとおり、ふつうの水だ」湯川は雑巾で濡れた机の上を拭き始めた。「ただし、イオン交換で作った超純水だけどな。通常、水は百度で沸騰する。だけど突然起きるのではなく、まず小さな気泡が発生し、続いて大きな気泡が現れるという段階を踏む。ところが条件を整えてやると、そうした段階を踏まずに沸騰が起きることがある。その場合、沸点であるはずの百度ではなく、それ以上の温度になって突然爆発する。突沸《とっふつ》、と我々は呼んでいるがね。水は百度で水蒸気になるという常識を過信していると、大やけどをするというわけだ」

草薙は苦笑し、部屋を見回した。

「おまえのそういう講釈を聞くのも久しぶりだな。この研究室も何だか懐かしい」

「君がここで何か研究したかな」

「実験なら何度も見せてもらったぜ」そういって草薙は提げていた紙袋から細長い箱を取り出し、そばの机に置いた。

「なんだい、それは」

「赤ワインだ。詳しいことはわからんが、店員に勧められた」

「君が土産を持ってくるとは珍しいな」

「礼だよ。うちの後輩が世話になった」

「別に大したことはしていない。簡単な物理実験をしただけだ」

「そのおかげで事件が解決したんだから、やっぱり礼をいっておきたいと思ってさ。ただし、ひとつだけ残念な知らせがある」

「当ててみようか」湯川は白衣を脱ぎ、椅子の背もたれにかけた。「あの謎解きは違ってたんだろ」

草薙は友人の顔を見返した。「知ってるのか」

「いや、僕自身、あれが真相だとは最初から思っていない。僕はただ、あの部屋にあるものだけを使って死体を落とす時限装置が作れるかどうか、という問題に挑んだだけだ。君は今、残念な知らせだといったが、僕にとっては残念でも何でもない。どうでもいいことだ。あの女性刑事がどう思ったかは知らないがね」

「あいつは、少し残念そうだったかな」

「で、真相は？」

「自殺だった」

「やっぱりね。それしかないと思った」湯川は頷く。

「どういうことだ」

「まあ、インスタントコーヒーでも飲みながら話そう」

湯川が出してきたのは、相変わらずあまり奇麗とはいえないマグカップだった。草薙は苦笑しながらコーヒーを啜った。

「岡崎が江島千夏の恋人だったという証拠を揃えるのは、かなり大変だった。決め手になったのは、江島千夏が持っていた一枚のカードだ。調べたところ、千葉にあるラブホテルのカードだった。それに岡崎の指紋がついていた。岡崎によれば、ホテルのゴミ箱に捨てたつもりだったらしいが、江島千夏がこっそりと回収していたようだ」

「どうしてそんなことを？」湯川が不思議そうに訊く。

「わかりきったことだ。そのカードがあれば、次にそのホテルを使う時、割引がきくんだ」

「なるほど。それで、岡崎君は観念したわけか」

「いや、付き合っていたことは認めたが、事件への関与は否定した。被害者が転落するところを目撃したんだから、自分には犯行は不可能だ――それを主張した」

「それで君たちは？」

「反則だと思ったけど、例のビデオを見せた。おまえが熱演している、あの実験ビデオだ」

「岡崎君、びっくりしてただろ」

「目を丸くしてたよ」その時の岡崎光也の顔を思い出すと、草薙は今でも噴き出しそうになる。「こんな方法があるなんて知らなかった、自分はこんなことしてないって、かなり焦ってた。それで白状したわけだ。殴ったことは認めるってな」

「あのステンレス鍋でか」

草薙は頷いた。

「岡崎には女房も子供もいる。江島千夏とは遊びのつもりで付き合っていたが、彼女のほうが本気になってしまったようだ。岡崎によれば、そんな約束をしたつもりはないんだが、いつの間にか江島千夏は、岡崎は離婚して自分と結婚してくれると思い込んでいたというんだな。まあ、死人に口なし、本当のところはわからん。とにかくあの夜、岡崎は別れ話をしに行った。ところがそれを聞いて江島千夏は逆上した。これから岡崎の家に電話をかけるといいだした」

「それで今度は岡崎のほうが逆上したというわけか」

「本人によれば、無我夢中で詳しいことは覚えていないそうだ。倒れた彼女を見て、死んだと思い込み、逃げ出すことしか考えられなかったらしい。マンションを出て、あの転落事件に出くわしたわけだが、落ちたのがまさか江島千夏だとは夢にも思わなかったそうだ。ところが翌日のニュースでそれを知り、奴は事情を理解した。彼女は殴られた時点では死んでいなくて、その後、自分で飛び降りたんだとね」

「たまたまピザ屋にからまれてたことから、自分には鉄壁のアリバイがあると思い直し、わざわざ警察に名乗り出たというわけか」

「ま、そういうことだ」

「なるほどねえ」湯川はにやにやしながらコーヒーを飲んでいる。

「傷害で起訴することになりそうだ。殺人では無理だ。あのトリックを使ったという証拠はないしな」

「あのトリックは」湯川はコーヒーを飲み干し、マグカップをふらふらと振った。「あれは無理だ。実行不可能だ」

草薙は少しのけぞり、友人の顔を見返した。

「そうなのか。だけど、ビデオじゃ……」

「たしかにあのビデオでは成功している。でも、あれを撮影するのに、どれぐらい苦労したと思う？　十回以上は失敗したんじゃなかったかな」湯川はくすくす笑い始めた。

「掃除機のコードがうまく戻らなかったり、鍋の蓋が簡単に外れたり、とにかく失敗の連続だった。内海君だったかな。彼女、よく辛抱強く付き合ってくれたよ」

「あいつ、そんなこと一言もいわなかったぞ」

「そりゃあそうだ。いう必要がない。うまくいったケースだけを誇張して発表する。科学者の世界では、それは常識なんだ」

「あいつめ……」

「いいじゃないか。おかげで事件が解決したんだ。彼女はいい刑事になるよ。僕も久しぶりに面白い経験をした」

「面白い？　じゃあ、これからも……」

草薙がいいかけると、それ以上はしゃべるな、とでもいうように湯川は立てた人差し指を自分の唇に触れさせた。そしてにっこり笑い、その指を左右に振った。

第二章

操縦る

あやつる

1

邦宏は窓を背にし、冷笑を浮かべていた。その目からは相手を思いやる気持ちなど微塵も感じ取れなかった。どういう育ち方をすれば、これほど残酷な人間になるのだろう、と奈美恵はこれまでに何度も考えたことを、ここでまた思わずにはいられなかった。

「俺の気持ちは変わらないといったはずなんだけどなあ」邦宏は唇を曲げた。「ここを出ていく気なんかはないよ。だって、俺の家なんだぜ。どうして出ていかなきゃいけないんだ？　誰かが出ていかなきゃいけないとしても、それは俺じゃない。ほかの誰かだ。――ねえ、そうでしょう、奈美恵さん」彼女のほうを見た。

奈美恵は俯いた。この男と目を合わせたくなかった。

「奈美恵が出ていかなきゃいけない理由はない」幸正がしわがれた声でいった。車椅子に座ったまま、息子を険しい目で睨みつけていた。

だが邦宏は、そんな目など怖くもなんともないというように肩をすくめた。

「そうなのかい？　じゃあ、俺はますます出ていかなくてもいいはずだ。文句があるなら、弁護士にでも相談したらどうだい。どの弁護士だって同じことをいうぜ。俺はこの家に住む権利がある」

「おまえには、それ相応のものをやるといっているだろ」

邦宏は、ふんと鼻を鳴らした。

「何をくれるっていうんだ？　この家以外、ろくな財産なんて残ってないじゃないか」

「大きな口を叩くな。誰のせいでそうなったと思ってるんだ」

「俺は権利を行使したまでだ。あんたが死ねば、どうせ俺のものになるものだった。先に使って、何が悪い」

「おまえというやつは……」幸正はステッキを床につき、立ち上がろうとした。だがよろけ、後ろの本棚に寄りかかった。

お父さん、と奈美恵は駆け寄った。彼を車椅子に座り直させた。

「無理しないほうがいいぜ。今度、頭の血管が切れたら、車椅子でだって動けなくなる」

「余計なお世話だ」幸正は肩で息をしている。「この話は、また改めてしよう。それより、例のものを持って帰りたい」

「勝手にしなよ。あんながらくた、どうしようっていうんだ」

「おまえには関係ない。持ってきてくれ」そういってから幸正は奈美恵を見上げた。

「すまんが、あいつと一緒に行ってくれ。大事なものだ。手荒に扱われたくない」

気が進まなかったが、奈美恵は頷いた。彼にとって大事なものだということは、よくわかっている。

「信用ねえんだな」邦宏は舌打ちしながら部屋を出た。それを奈美恵は追った。

廊下を出て、隣の部屋に入った。邦宏が寝室に使っていて、ダブルベッドが置いてある。奈美恵はそちらのほうは見ないようにした。

邦宏はクロゼットを開け、段ボール箱を引っ張り出してきた。

「この中に入ってるはずだ。爺さんは、俺が触るのは気にくわないようだから、あんたが確かめなよ」

奈美恵は腰を下ろし、段ボール箱の中を確かめた。

そこに入っているのは、ボトルシップだった。ウィスキーの瓶に、帆船の模型が入れられているのだ。もちろん船の大きさは、瓶の口よりも大きい。先に部品を入れ、ピンセットを使って瓶の中で組み立てたものだ。

ボトルシップは全部で三つあった。すべて幸正が作った。

「これでいいと思います」奈美恵は段ボール箱を閉じた。

突然、邦宏が後ろから覆い被さってきた。奈美恵は悲鳴を上げるのを辛うじて堪《こら》えた。

幸正に聞かせたくない。

「何するのよっ」小声でいった。

「声を上げたいなら上げたっていいぜ。どうせ爺さんには何も出来ない。ここらで俺たちの関係を知っといてもらうのも悪くないんじゃないか」

「ふざけないでよ」奈美恵は邦宏の腕の中から逃れた。

奈美恵、と幸正の声が聞こえた。「見つからないのか」

「あった。これから持っていく」奈美恵は段ボール箱を抱えると、邦宏から顔を背けるようにして部屋を出た。

幸正も、車椅子を操作して廊下に出てきた。怪訝そうな顔をしている。

「どうかしたのか」

「何でもない。これでいいのよね」箱の中を見せた。

「これでいい。じゃあ、戻ろう」幸正は箱を自分の膝に置いた。

邦宏が部屋から出てきて、そばの壁にもたれた。

「今夜はパーティだそうだね。教え子が集まるとか」

「誰から聞いた?」

「御用聞きの酒屋だよ。そういうことは、俺にもいっといてもらわなきゃなあ」

「おまえには関係ないだろ」

「おおありだね。母屋で騒がれたら、こっちが迷惑する」

「今日来る連中は、分別のある大人ばかりだ。自分と一緒にするな」

「ちょっとでもうるさかったら、爆竹を放り込んでやるからな」

「爆竹か。まるで子供だな。そういえば、おまえが勝手に池に浮かべてるカヌーについて、町内会から苦情が来た。子供が乗ったりしたら危ないから、至急、片づけてくれということだった。おまえにその気がないなら、私のほうから町内会にいっておく。どうぞ御自由に片づけてくださいってな」

「そんなことをしたら、どうなるかはわかってるんだろうな」邦宏が威圧的にいった。

「玩具を取り上げられたくなかったら、ちゃんと片づけろ。——行こう、奈美恵」

奈美恵は車椅子を押し、玄関を出た。段差がいくつかあるので、結構、力がいる。だがそれ以上に乗っている幸正が辛いはずだ。しかし彼が文句をいったことはなかった。もっと早くに離れ家の入り口にも車椅子用のスロープをつけておけばよかった、と今さらながら悔やんだ。

離れ家と母屋の間には二十メートルほどの距離がある。かつては芝生に覆われていたが、今は土が剝きだしになっていた。手入れなど、もう何年もしていない。

「あいつのことは気にするな」幸正がいった。「あんなことを続けられるわけがない。いずれ、天罰が下るさ」

奈美恵は黙って頷いた。科学者の彼が天罰などという言葉を使うのは珍しいと思った。

「今、何時だ」

「ええと」彼女は携帯電話を取り出した。「五時を少し過ぎたところ」

「じゃあ、そろそろ準備をしたほうがいいな」

「母屋に戻ったら、すぐに始めるつもり。でも本当にいいの、鉄板焼きなんかで。何だか手抜きをしているみたいなんだけど」

「構わんさ。あいつらは昔から、肉とビールさえあれば満足という連中なんだ」

「でもそれは学生時代の話でしょう？　皆さん、たしか四十前よね。グルメになってる人も多いんじゃないの」

「大丈夫だ。味にうるさいのが一人いるが、本当にわかっていってるんじゃない。理屈をこねまわしているだけだ」

幸正が誰のことをいっているのかわかったので、奈美恵はくすくす笑った。

「湯川さんのことね」

「あいつは野菜の切り方にも理屈をつけるやつだからなあ」幸正の肩が小さく揺れた。

「そういえば湯川さんから連絡があったわ。少し遅れるんですって」

「遅れる？　来ることは来るのか」

「遅くなるけど、必ずいらっしゃるそうよ。今夜は駅前のビジネスホテルを予約してあるから、とことん付き合いますって」

「そうか。それは楽しみだ。このところ、ろくな論文を発表してないみたいだから、説教してやらんとな」

幸正の声は弾んでいた。彼が昔から、出来のいい教え子ほど厳しく接する方針だということを、奈美恵は知っていた。

2

友永幸正は、かつて帝都大学で教鞭を執っていた。階級は助教授だった。なぜ教授になれなかったのかについては奈美恵は何も知らない。ただ、彼の研究テーマが古典的で地味だったために、卒業研究に選ぶ学生は少なかったらしい、ということは亡くなった母親から聞かされていた。

だがどうやら学生からの人望は厚かったようだ。人の世話が好きな彼は、別の研究室の学生であっても、親身に相談に乗ってやったり、時には就職の世話で奔走することもあったという。だから今も彼のところには、多くの年賀状が届く。

今夜集まったのは、そんな教え子たちの中でも特に幸正が気に入っている者たちだった。研究室は全員違うのだが、妙に馬が合って、しょっちゅう酒を酌み交わしていたらしい。今も数年に一度ぐらいの頻度で、都内で会食しているのだが、今年は幸正が皆を招待するといいだしたのだった。

「いやあ、これ、すごいじゃないですか。こんなものが作れるんなら、全然問題ないじゃないですか」安田という男が、ボトルシップを両手で目の高さに持ち上げていった。中年太りの始まった体形で、顔も大きい。

「そうはいっても、時間が問題だ。それ作るのに、どれだけかかったと思う？　三か月だ。殆ど一日も休まずにだぞ。元気な頃なら三日で仕上げてた。もちろんもっと上手にな」幸正は鉄板を囲んだ三人の教え子たちを見回した。その声は、いつもよりも張りがあるように奈美恵には聞こえた。

「先生は昔から、手先が器用だったからなあ」井村という男がいった。ほかの者はスーツ姿なのに、彼だけは普段着だ。今は塾経営をしているということだった。

「そうそう。半田付けなんか、誰も敵わなかった」そういったのは岡部という男だ。すでにビールで顔が真っ赤だった。

「当時の助教授は、下働きばっかりだったからな」幸正は苦笑した。「君たち最近、自分の手で何かを作ることってあるのか」

いやあ、と全員が首を捻った。

「せいぜい通販で買う組み立てラックぐらいかなあ」安田が首を捻る。

「僕は、作るといったら書類ばかりです。計画書とか成績表とか」井村がいった。

「俺も何ひとつ作ってないなあ。すっかり物理とは縁がなくなった」岡部が腕組みした。

「おまえなんて、宇宙物理学だもんな。そりゃあ、卒業したら使わないよなあ」安田が冷やかす。「大体、物理学科を出て出版社勤務って、どういうことだ」

「科学雑誌を作ろうと思ったんだよ。ところが世の中は理科離れで、科学雑誌は廃刊ときてる。そういうおまえだって、スポーツ用具メーカーに入って、お得意の分子物理学は使ってるのかよ」

「使ってるわけねえだろ。あんなもん、卒業と同時に忘れちまったよ」

三人が朗らかに笑うのを、幸正は目を細めて眺めていた。たとえ学んだことは忘れてしまっても、その経験は必ず別のことに生きる、と彼は常日頃からいっている。それをわかっているから教え子たちも気楽に話せるのだろう。

「結局、大学で習ったことを生かしてるのは湯川だけってことになるのかな」

井村の言葉に、ほかの二人も頷いた。

「とにかく、やたらどんなことでも勉強するやつだったからな」安田がいう。

「インスタントコーヒーの歴史を調べてたこともあった。自分で作ってみて、やっぱり買ったほうが合理的だ、とかいってた」

「そういえば、湯川のやつ遅いな」井村が時計を見た。「もう八時を過ぎてるぜ」

「おっ、もうそんな時間か」幸正が反応した。「私は少しだけ中抜けさせてもらおうかな。湯川君が来たら、また合流させてもらおう」

「どうぞ、ゆっくり休んでください。俺たち、勝手にやってますから」岡部がいった。

「ああ、好きなだけビールでもウィスキーでも飲んでくれ。ただし、自分の身体と相談してな」

奈美恵は車椅子を押した。廊下に出たところで、ここでいい、と幸正はいった。

「連中も、勝手に冷蔵庫を開けるのは気がひけるだろう。大丈夫、自分で行ける」そういうと幸正は車椅子を操作して奥に進んだ。そこには家庭用のエレベータが付いている。それを使えば二階に上がれるし、そこから寝室へはバリアフリーになっている。車椅子からベッドへの移動も、訓練のおかげで一人で出来るようになっていた。

彼がエレベータに乗るのを見届けて、奈美恵はリビングに戻った。

「リハビリの具合はどうなんですか」安田が訊いてきた。「前に伺った時は、一人で歩くのは難しいということでしたけど」

ほかの二人も真剣な顔を向けてくる。さっきまでの浮かれた様子はない。

「杖を使って立ち上がるところまでは何とか。でも、それ以上動かすことは出来ないみたいです」

そうか、と井村が吐息をついた。

「リハビリで何とかなると思ったんだけどなあ」

「でも戻ったほうだと思うぜ。こんなのが作れるんだから」安田がボトルシップに目を向けた。「『メタルの魔術師』は健在だよ」

　ほかの二人も頷いた。

「メタルの魔術師？」奈美恵が訊いた。

「先生の現役時代のニックネームです。研究内容から、そう呼ばれたんです」

　安田の説明に、そうなんですか、と彼女は答えるしかない。幸正がどういう研究をしていたのか、全く知らないからだ。

　岡部が立ち上がり、バルコニーに面したガラス戸を開け、大きく息を吸った。

「それにしてもいいところだなあ。草の匂いがする。東京とは思えない」

「ガラス戸を開けても排気ガスが入ってこないってのがいいよな」井村も同意する。

「目の前は池だし、じつに風情がある。おっ」岡部は何かに気づいたように首を伸ばした後、奈美恵のほうを振り返った。「あの建物は何ですか」

　彼が指したのは離れ家だった。そう教えると、へええ、と感心したように頷いた。

「明かりがついてますけど、どなたかいらっしゃるんですか」

「ええ、あの、父の長男が……」

「先生の？　えっと、そうすると」

おい、と井村が厳しい顔で岡部を睨みつけた。

「えっ？　あっ、あー、はいはい。わかりました」岡部は首をすくめ、窓から離れた。

「ビール、お持ちしますね」奈美恵はキッチンに向かった。馬鹿野郎、と井村たちが岡部を責めるのが聞こえてきた。彼等は、この家の複雑な事情を知っているのだ。

奈美恵は冷蔵庫から出した二本のビールをトレイに載せ、リビングに戻った。

「じゃあ、先生はお休み中だけど、もう一度乾杯のやり直しといこう。奈美恵さんも一緒にどうぞ」

安田に勧められ、彼女もグラスを手に取った。すかさず岡部が注いでくれた。

「では、友永元助教授、それから湯川助教授じゃなくて今は准教授か。本物の学者二人は不在ですが、乾杯といきましょう。乾杯」

安田に続き、皆が乾杯といってグラスを合わせた時、外で何かの割れる音がした。その音はなぜか奈美恵の腹に響いた。

全員が顔を見合わせた。

なんだろう、といって岡部がバルコニーに出た。奈美恵も後に続いた。

次の瞬間、離れ家から煙が立ち上り始めた。

火事だっ、と岡部がいった。「早く、誰か電話を」

井村が携帯電話を手にしていた。険しい顔で耳に当てている。彼が口を開きかけた時、再び離れ家から音がした。

煙の勢いは一層強くなり、ついには炎が噴き出した。

3

「全然、聞いたことのない町だ。町といっても、住宅街とかオフィス街の街って字のほうじゃない。下町の町だ。全く、こういう時には東京って広いなあと思うね。広すぎる。何だって、こんな都内から一時間以上かかるところに来なきゃいけないんだ。しかもこんな時間にさ。見ろよ、もうすぐ十二時だぜ」

助手席の草薙が早口でまくしたてている。余程機嫌が悪いらしい。久しぶりに仕事が早く終わり、夜の街へ繰りだそうとしているところへ電話がかかってきたのだから無理もないかもしれない。しかし寛いでいるところを邪魔されたのは自分だって同じだ、と内海薫は思った。今夜はDVDを見ながらワインでも飲もうと決めていた。

「仕方がないんじゃないですか。だって、ただの放火じゃなくて、殺人の疑いがあるんですよ」

「それはわかってるよ。だから所轄だけに任せられず、本庁の人間が出向く。それはいい。でもさ、それが何で俺たちなんだ。いや、おまえはいい。新米は貧乏くじを引かされるものだ。だけど俺は違うだろ」

夜更けに駆り出された上に運転をさせられ、しかも新米扱いされる身にもなってみろ、といいたいのを堪えた。

「新米だけじゃ不安なんでしょ」

「誰が不安なんだ？　あのおやじだろ。間宮のおやじだろ。あいつ、俺たちの報告を聞いてから、明日の朝、ゆっくりとお出ましになる気だぜ。ああ、腹が立つ。今夜こそ、ゆっくり飲めると思ったのになあ」草薙はシートの上で伸びをした。「で、何だって？　どうして放火だとわかったんだ」

「焼け跡から死体が見つかったんです」

「そりゃ、火事になりゃ焼け死ぬことだってあるだろ」

「そうじゃないですよ。現場から見つかった死体は、刃物で刺されて死んでいたんです。消火が早かったせいで、死体の損傷はそれほどでもなかったそうです」

「そうなのか。それじゃあ、どこからどう見ても殺しだな」

草薙が項垂《うなだ》れるのが、薫の視界に入った。

「参ったなあ。こんな田舎に捜査本部を置かれたら、俺たち身動き取れないぜ。喫茶店もなさそうだしさ」

彼のいう通りだった。進めば進むほど道は暗くなっていく。ヘッドライトの明かりだけでは不安で、薫はフォグランプを点灯させた。

やがて前方に、極端に明るい一画が現れた。明るいのは、たくさんの消防自動車が停まっているからだ。

火事場には必ず詰めかける野次馬たちの姿がなかった。深夜だからか、元々周辺に人がいないせいなのかはわからなかった。

屋敷が建っているが、敷地を区切る塀らしきものは何もない。その左側に人が集まっていた。消防や警察の人間たちがビニールシートとロープで周辺を囲っている。

小柄な男が駆け寄ってきた。草薙が自己紹介すると、相手は少し緊張したしぐさを見せた。所轄の捜査員で小井土《こいど》と名乗った。

「亡くなったのは一人ですか」草薙が訊いた。

「一人です。遺体は署に運びました。解剖は明日になると思います」

そりゃそうだろうな、と草薙は薫のほうを振り向いていった。

「現場検証は終わったんですか」薫が訊いてみた。

「いやあ、今夜は消火するのが精一杯でした。暗くなりましたし、雨が降るおそれもありませんので、詳しい現場検証は明日にすると消防のほうでもいっております」

これまた妥当な判断ではある。だがそうすると、自分たちは何のために駆けつけたのかということになる。

「焼けたのは、どういう家ですか」草薙が訊いた。

小井土は直立不動になった後、手帳を取り出した。

「友永という家です。そこの離れが焼けたということです」

「離れ？　すると——」草薙は右側の大きな屋敷を仰ぎ見た。「こっちが母屋というわけですか」

「そうなります」小井土は頷いた。

殺されたのは友永邦宏という人物で、離れ家で独り暮らしをしていたらしい。

「母屋には誰が？」

「ええ、その……」小井土は手帳を見た。「被害者の父親と……ええと、これはどういう関係になるのかな。娘、というのもちょっと違うか」

「何ですか？」草薙が問う。

「それが、若干人間関係が複雑でしてね。被害者の父親と、内縁の娘が住んでいます。それから今夜は、父親の教え子という人物が三名。いや、四名か。何かの集まりとかで来ていたようです」

教え子という言葉から、父親の職業は教師なのかなと薫は考えた。

「その人たちは今も母屋に？」草薙が訊いた。

「いや、教え子四人のうち三人は帰りました。明日の朝早くから仕事があって、どうしても今夜中に帰らねばならないということで。終電がなくなってしまいますからね」

「ほかの方は？」

「待機していただいております」

「話は聞けますかね」

「それは大丈夫だと思います」

「じゃあ、話を聞かせてもらいましょう。案内していただけますか」

「ええ、それはもう。こちらへどうぞ」

小井土に導かれるまま、薫は草薙と共に母屋へと向かった。

母屋の玄関には、友永と書いた表札が出ていた。木造の日本家屋だが、入り口はドアだった。小井土は入り口の横にあるインターホンのチャイムを押し、家人と何やら話した。

間もなくドアが開けられた。二十代後半と思われる、背が高くて痩せた女性が現れた。長い髪を後ろで束ねていた。

小井土が草薙や薫のことを紹介した。

「さっきのような感じで、もう一度この人たちに話してもらえるといいんですが」

「ええ、それは構わないと思います。じゃあ、どうぞお入りになってください」女性は薫たちのほうに深刻そうな顔を向けた。

失礼します、といって草薙が靴を脱ぎ始めたので、薫も倣《なら》った。小井土は、消防との打ち合わせがあるということで、家には入らず、そのまま立ち去った。

部屋に向かう途中、草薙が女性に名前を尋ねた。彼女は足を止め、新藤奈美恵と名乗った。落ちた前髪を上げる時、左手の指輪が光った。

「私は母の連れ子なんです。母は十年ほど前に他界しました」

「あ、そうなんですか。でも、名字が違いますね」草薙はいった。

「母と私が、この家に来たのは二十三年前です。でも父と母は正式には結婚していなかったんです。だから母も私も新藤姓のままです。母は表向き、友永を名乗っていましたけど」

「そういうことですか。ええと、こういうことをお訊きしていいのかどうかはわからないんですが、どうして入籍されなかったんでしょうか」

すると奈美恵はかすかに頰を緩め、草薙と薫を交互に見つめてきた。

「理由は単純です。出来なかったんです。父には戸籍上の妻がいましたから」

「あ……なるほど」そういってから草薙は背筋をぴんと伸ばし、頷いた。「よくわかりました。では、皆さんのところへ案内していただけますか」

「ええ。どうぞこちらへ」奈美恵が再び歩きだした。

草薙は、ちらりと薫を見た。何かを嗅ぎつけた時の目だった。薫も同様の印象を受けていたから、黙ったままで小さく顎を引いた。

二十畳ほどのリビングルームに、この家の主である友永幸正が待ち受けていた。友永は沈痛な面持ちで車椅子に乗っていた。

「夜分に申し訳ありません」草薙が頭を下げた。「すでにこちらの警察や消防に話をしてくださったとは思うんですが、もう一度我々にも聞かせていただきたいんです。まずは目撃されたことから」

「いやあ、それが、私はその瞬間は目撃しておらんのですよ」友永はいった。

「父は、少し疲れたということで、その時は寝室で休んでいたんです」奈美恵が横から補足した。

「うとうとしていたら、急に周りが騒がしくなったので、それで初めて窓の外を見ました。そうしたら、すでに離れ家は燃え始めていました」

「その時、あなたはどちらに？」草薙は奈美恵に訊いた。

「私は、皆さんと、ここにいました。そうしたら突然、外から物音が聞こえたんです」

「物音？　どんな？」

「ガラスが割れるような音だったと思います。ほかの方も、そうおっしゃってました」

「何時頃でしたか」

「たぶん八時過ぎだったと思います」

「今ここで、時刻を質問する意味がわからないな」不意に背後から声が聞こえた。しかも薫の聞き覚えのある声だ。

振り返ると、とてもよく知っている人物が立っていた。今夜は珍しくスーツ姿だった。

湯川先生、と薫は呟いた。

「湯川、おまえ、どうしてここに？」草薙が狼狽《ろうばい》した様子で湯川と友永とを見比べた。

「知り合いかね？」友永が湯川に訊いた。

「この男も帝都大の出身です。社会学部ですがね。バドミントン部で一緒だったんです」そういいながら湯川は友永の隣に腰掛けた。

「そうなのか。それは奇遇だな。刑事さんは、湯川がここに来ていることは御存じなかったんですすな」

「知りませんでした。全くの偶然です」草薙は湯川の顔をしげしげと眺めている。

「こういう偶然が起きると、まず疑うのが僕の癖なんだけどね。どこかに必然が潜んでいるのではないか、と。しかし今回ばかりは、そういうことを考える必要はなさそうだ」湯川は草薙から薫のほうへ視線を移し、小さく頷いた。薫も会釈を返した。

「ええと、そうすると友永さんもやはり大学の先生をしておられるんですか」

草薙の問いに、友永は頷いた。

「かつて、ですがね。帝都大の理工学部で助教授をしておりました」

万年助教授でした、と彼は付け加えた。

「そういう繋がりでしたか」草薙は納得したようにいった後で湯川を見た。「さっき、時刻を訊く意味がないといったが、どういうことだ」

湯川は肩をすくめた。

「そんなものは正確な記録として残っているはずだからだ。友人たちは火災が発生する瞬間を目撃している。で、すぐに通報している。つまり消防や警察の記録を当たれば、八時過ぎなんていう曖昧なものじゃなく、もっと細かい時刻を摑めるだろうということだ。念のために、その友人の携帯電話に残っている時刻を訊いておいた。八時十三分だった」

「わかった。参考にしておこう」草薙が忌々《いまいま》しそうにいった。

薫は手帳に、八時十三分という数字を書きこんだ。

「おまえは目撃していないんだな」草薙がいった。

「僕が到着したのは、ちょうど消火活動が終わった頃だった。一時的に避難されていた友永先生たちも、ここに戻ってきておられた。その頃はまだ友人たちもいたから、彼等からかなり詳しい話を聞いておいたよ。というわけで――」湯川は足を組み、草薙と薫を見上げた。「今夜のことについては僕に尋ねてくれ。たまには事情聴取されるのも悪くない」

4

たしかに湯川は友人たちから、かなり詳細に事情を聞いていた。おかげで、今夜どういうことが起きたのかを、薫たちは、ほぼ把握することが出来た。

しかし草薙は、火災のことを訊くだけで引き上げる気はなさそうだった。

「亡くなったのは先生の息子さんですね。仕事は何をしておられたんでしょうか」

この質問に友永は顔をしかめ、首を振った。

「あいつは何もしておりません。毎日、ぶらぶらと遊んでおりました。三十にもなろうというのに、情けない男でした」

死んだばかりの息子について、これほど辛辣な言葉が出てくるとは予想していなかったので、薫はメモを取る手を止め、思わず友永の皺だらけの顔を見つめた。

草薙も同様らしく、少し呆気にとられた様子だ。すると友永は、ふん、と鼻を鳴らした。

「意外でしょうね。父親がこんなことをいうのは」

「何か御事情が？」

友永は奈美恵のほうを見てから、草薙に目を戻した。奈美恵は離れた席で俯いている。

「どうせ、うちの内部事情についてもお調べになるでしょうから、今のうちに話しておきます。この娘の母親は十年前に亡くなりましたが、正式な妻ではなかったんです」

「それは、先程伺いました。先生には、正式な奥さんがいらっしゃったとか」

友永は頷いた。

「今から三十年ほど前になります。人の紹介で、ある女性と見合い結婚をしました。すぐに子供も生まれたんですが、どうにも私と妻の相性がよくなかった。結局、別居することになったんですが、正式な離婚の手続きはしないままでした。それから何年か経って、この子の母親と出会ったんです。イクエといいます。育つに、江戸の江です。名字は新藤です」

「息子さんは奥さんのほうへ？」

「そうです。妻が出ていった時、あいつはまだ一歳になったばかりでした」

「奥さんと離婚して、新藤育江さんと結婚することはお考えにならなかったのですか」

「もちろん考えました。ところが妻が離婚を承諾してくれなかったのです。向こうには子供がいるし、私からの生活費を手放したくなかったんでしょう。育江も、別に入籍はしなくてもいいといってくれるし、そのままずるずると来てしまいました」

ありそうなことだ、と薫は聞いていて思った。

「そういうことですか。で、息子さんだけがこちらに住んでおられたというのは、どういうことなんでしょうか」草薙が訊く。

「妻が死んだんです。二年前にね。それから間もなくです。あいつがここへ来たのは。住むところがないから何とかしてほしいという、一人前の男なら口に出来ないことを平気でいいました」

「それで離れに？」

友永は頷き、ため息をついた。

「三十年近く会っていないとはいえ、息子は息子ですからね。幸い離れ家があったので、あそこに住むことを許可しました。ただし、一年という条件を付けました。その間に仕事を見つけ、住むところも自分で何とかしろといってあったんです」

「その期限はどうなりました？」

「とっくに過ぎています。ところがあいつは出ていくどころか、仕事を見つけようともしない。自分に合う仕事がないとかいってましたが、端《はな》から探す気がなかったんです。ここにいれば、一生遊んで暮らせるとでも思っていたんでしょう。馬鹿ですよ。父親はもう引退しているというのに」

話を聞いているうちに、友永が息子の死をさほど悲しんでいるように見えない理由が薫にもわかってきた。要するに友永邦宏は実の息子でありながら、この家にとっては疫病神だったのだ。

湯川は下を向いたまま、じっと聞いている。驚いた様子は全くないから、すでに知っていることなのだろう。

「事情はわかりました。包み隠さず話していただいて感謝します」草薙は頭を下げた。

「こんな恥は、本来なら人様には聞かせられないんですが、あなた方なら簡単に調べられると思って話しました。このあたりの人なら、みんな知っていることです。うちとは付き合いが長いですから」

「こちらにお住みになって何年になるんですか」

「さあ、何年でしょうかねえ」友永は首を捻った。「何しろ、うちの祖父の代から住んでいますからね。あの離れ家も、元々は父が私の部屋として建ててくれたものなんです。だから邦宏が来るまでは、読書や趣味の部屋として使っていました」

この家が古風な日本家屋の雰囲気を漂わせつつ、洋風のアレンジがなされていたりするのは、その時々の主の趣味によって改築されたせいらしい。

「少しデリケートな質問をさせていただきます」草薙はいった。「お聞きになっていると思いますが、今夜の事件は単なる火災ではなく、何者かによって引き起こされた可能性があります。息子さんにしても、殺された公算が高いのです」

聞きました、と友永は答えた。

「何かお心当たりはないでしょうか。凶器が使われていることから、犯人の狙いは単なる放火ではなく、息子さんを殺すことにあったことは確実です」

友永は立てたステッキの上で両手を重ね、首を傾げた。

「先程、毎日ぶらぶらしていたといいましたが、じつのところ、あいつがどんな生活をしていたのか、よく知らんのです。ここへ来るまでのことになると尚更です。どうせ自堕落に生きてきたのだろうから、他人の恨みを買うこともあったんじゃないかと想像はしているんですが」

「つまりあなたに具体的な心当たりはない、ということですか」

「自分の息子のことなのに情けない話ですが」

「最後に息子さんにお会いになったのは、いつですか」

「今日の昼間です。そのボトルシップを取りに行きました」友永は、横の棚に置いてある見事な作品を指していった。

「あなたお一人で?」

「いや、もちろんこの子に付き添ってもらいました」

「その時、息子さんと話をされましたか」

「少し言葉を交わしましたが、大した話はしていません。あっちも、私のことを避けてましたしね」

「その時、何か気づいたことはありませんか。様子がおかしかったとか、誰かと電話で話していたとか」

「いやあ、何もありませんなあ」

草薙は奈美恵を見た。

「あなたはどうですか」

「私も、何も……」彼女は小声で答えた。

草薙は頷いた後、薫のほうに顔を向けた。何か追加質問はあるか、という意味らしい。

「失礼ですが、お身体はいつから？」彼女は車椅子を見ながら訊いた。

「これですか。ええと、何年前になるかな」友永は奈美恵を見た。

「六年前の暮れです」彼女が答えた。「風呂場で突然倒れて……」

「脳梗塞というやつです。若い頃の酒の飲み過ぎがたたったようです。それから煙草もよくなかったかな。君を見習うべきだった」友永は隣の湯川に薄く笑いかけた。

「歩くのは、かなり大変なんですか」薫は続けて訊いた。

「杖を使えば、立ち上がるぐらいは出来ます。ただ、歩くとなるとどうかなあ。二、三歩がやっとかな」

「手のほうは？」

「左手に少し麻痺が残りました。リハビリで、かなり動くようにはなりましたが」友永は左手の指を動かしてみせた。

「外出されることはあるんですか」

「いやあ、残念ながらめったにありません。ここ一年ほど、敷地から出たことがない。でも私が出られないのは別に構わないんです。気になるのは、この子のことでね。私のせいで、ゆっくりと旅行に行くこともできない。大丈夫だから、どこへでも出かけろというんですが」

「すると奈美恵さんは、ずっと家に？」

「私が倒れるまでは、出版社で働いておったのですよ。ところがこんなことになったものだから、仕事を辞めざるをえなかった。申し訳ないと思っています」

「そんなこといわないでっていってるでしょ」奈美恵は眉をひそめた後、薫のほうを向いた。「翻訳の仕事を回してもらっているんです。ですから、全く仕事をしてないわけじゃありません。自宅で出来るし、会社勤めよりも自分には向いていると思っています」

今の生活に不満はない、と訴えているように聞こえた。

もういいか、と草薙が小声で薫に尋ねてきた。

「すみません、もう一つだけ」彼女は人差し指を立てた。「奈美恵さんのお母さんは、十年前にお亡くなりになったんですよね。その後、奈美恵さんを養女にするということは、お考えにならなかったんですか」

「考えました。しかし出来なかった」

「どうしてですか」

「そんなことは決まってるでしょう。養女にするにはね、配偶者の承諾が必要なんです。妻が、そんなことを認めるわけがない」

「でも、その奥さんも今は亡くなられているわけですから――」

「内海君」不意に湯川が口を挟んできた。「人にはそれぞれ事情というものがある。捜査に必要だという時が来るまで、あまり立ち入った質問はしないほうがいいんじゃないだろうか」

「あ……どうもすみません」薫は首をすくめるようにして頭を下げた。

友永と奈美恵は、気まずそうに黙っていた。

友永邸を辞去した薫たちは、彼女の運転するパジェロで帰路についた。湯川は、もう少し友永たちと一緒にいるということだった。彼は今夜、近くのビジネスホテルを予約しているらしい。

草薙が携帯電話で、今夜のことを間宮に報告した。電話を切った後、ふっと息を吐いた。

「明日の朝、本庁に寄ってから、こっちの所轄に集合だ。解剖の結果を確認してから、その後の方針を決めるってさ。現場検証は、鑑識が消防と一緒にやるって話だ」

「とりあえず、被害者の人間関係を調べるのが先決でしょうね」

「そうだな。父親の話を聞いたかぎりだと、叩けば埃がいっぱい出てきそうな感じだ。調べ甲斐がある」

「ところで、さっきのこと、どう思います？」

「さっきのことって？」

「友永さんが奈美恵さんを養女にしていないことです。たしかにどうでもいいことかもしれませんが、湯川先生があんなふうに目くじらを立てるなんて珍しいなと思って」

「ああ、あれね。俺には何となくわかるよ」

「どういうことですか」

「考えてみろよ。何だかんだいっても、友永氏と奈美恵さんは血の繋がりのない男と女なんだぜ。奈美恵さんの母親が死んでから十年、同じ屋根の下で暮らしてりゃ、別の感情も生まれてくるんじゃないか」

「二人は男女関係にあるというんですか」

「俺は、そう思ったけどな。養女にしないのは、結婚を考えているからじゃないかってな。湯川もそれに気づいてるから、ああいう言い方をしたんじゃないか。車椅子の老人と二十代の女じゃ釣り合わないと思うけど、男と女のことは他人にはわからない」

前方の信号が赤に変わった。薫はブレーキを踏み、車が停止するのを確認してから首を捻った。

「私は、それはないと思います」

「どうして？」

「奈美恵さんには、ほかに恋人がいると思うからです」

「恋人？　どうしてわかる」

「左手の中指に指輪をしておられました」

「そうだっけ」

「ティファニーの新作です。最近、彼氏からプレゼントされたものだと思います」

「その彼氏というのが友永氏じゃないっていう証拠でもあるのか」

「友永氏は、ここ一年ほど外出されてません」

あっ、と草薙が声を漏らすのが聞こえた。信号が青に変わったので、薫はブレーキペダルから足を離した。

「じゃあ、自分で買ったのかもしれない」

薫は前を向いたままで首を振った。

「あの指輪を自分で買う女性はいないと思います。男性にプレゼントされるために存在しているような指輪なんです」

「ふうん、そうなのか。しかし、女ってのは細かいところを見ているものなんだな」感心と揶揄《やゆ》の混じったような口調で草薙はいった。

「いけませんか」

「いや、刑事としては大きな長所だと思うよ。ただ、おまえみたいな女と結婚する男は大変だろうなとは思うね。浮気したら、一発で見抜かれそうだ」

「褒めてくださってるんですよね。ありがとうございます」

「どういたしまして」

前方に高速道路の標示が見えてきた。

5

リビングボードを開け、コニャックのボトルを取りだした。

「本当に、少しだけよ」奈美恵はいった。

「ああ、わかっている」幸正は頷いた。「今夜だけだ。せっかく湯川君が来ているのに、酒の一杯も出さないというわけにはいかんだろう」

「先生、僕のことでしたら気を遣わないでください」向かい側に座った湯川が、小さく手を振った。

「私が飲みたいんだよ。君のことは、ダシに使っているだけだ。迷惑かもしれんが、少し付き合ってくれ。どうせ、このままじゃ今夜は眠れそうにない」

「もちろん僕は構いませんが」

奈美恵は二人の前にグラスを並べ、コニャックを注いだ。深みのある甘い香りが漂った。

「再会を祝して乾杯、というわけにはいかんな」幸正は口元をわずかに緩め、コニャックを舐めた。「舌がしびれそうだな。しかし、やはりうまい」

奈美恵も椅子に腰を下ろした。彼女はティーポットに入れてあった紅茶をカップに注いだ。

「息子さんが帰っておられたとは知りませんでした」湯川がいった。

「帰ってきたという感覚は私にはないよ。あいつにしてもそうだろう。我々は他人だった。血の繋がりはあっても、心の繋がりがなければ家族じゃない。そうは思わないか」

「僕は詳しいことを知りませんから」

「他人のことには無関心だからな。君は昔から」幸正は肩を小さく揺すり、奈美恵のほうを向いた。「安田君や井村君も出来はよかったが、この湯川君ほどではなかった。彼は天才と呼ばれていた。いや、今も呼ばれているはずだ」

「やめてください」

「そんなふうにいわれるのは好きではなかったな。奈美恵、優秀な研究者に必要な資質とは何だと思う？」

彼女は少し考えてから、「真面目さ、とか？」と答えた。

「それも必要かもしれんが、真面目であればいいというものでもない。時には不真面目さが、大発見に繋がることもある。研究者に必要な資質とは、純粋さだ。何物にも影響を受けず、どんな色にも染まらない真っ白な心こそが、研究者には要求される。これは簡単なようで、じつはとても難しい。なぜなら研究とは、石を少しずつ積んでいくような作業だからだ。努力する研究者は目標に向かって、より高く積み上げようとする。当然、自分が積み上げてきたものには自信を持っている。それは間違っていないと確信している。だがそれが命取りになる場合もあるんだ。最初に置いた石は、本当にその位置でよかったのか、いやそれ以前に石ではなかったのではないか――そういう疑いが生じた時、積み上げてきたものを壊してしまうということが、なかなか出来ない。これまでの功績に縛られているからだ。純粋であるということは辛いことなんだ」幸正は握りしめた左手を小さく振りながらいった。

奈美恵は、こんなふうに力強く語る彼を見るのは久しぶりだった。まだ酔ってはいないはずだから、邦宏の死の影響で神経が高ぶっているのかもしれない。

「この湯川君は、どれほど苦労して築き上げてきたものであろうとも、少しでも疑えば、即座に叩き壊せる男だ。モノポールの探索、覚えているよ」

「あれですか」湯川は苦笑し、コニャックのグラスを傾けた。

「磁石にはＳ極とＮ極があるだろう？」幸正が奈美恵の顔を見ながら話し始めた。「Ｓ極とＮ極はペアになっていて、どんなに磁石を小さくしていっても、Ｓ極だけ、あるいはＮ極だけというふうにはならない。だが素粒子レベルではありうるのではないか――そう考えて、まだ発見はされていないが、その物質に付けられた名前がモノポールだ。湯川君は大学院生時代、このモノポールに非常に強い関心を持っていて、何とか存在を証明できないものかと試行錯誤していた。非常に独創的なアプローチの仕方で、教授たちも注目していた」

「でもその教授たちの誰一人として、僕が成功するとは思っていなかったはずです。世界中の科学者が取り組んでも出来ないことを、一介の院生などに成し遂げられるわけがない、と」

「率直にいうと、私もそうだ。無理だろうと思っていた」

「そしてその予想は的中しました」湯川は奈美恵のほうを見て苦笑した。「一年以上をかけて作りあげた理論でしたが、根本的なところで大きな間違いをしていたんです。論文はすべてゴミ屑と化しました」

「その潔さに私は感心したんだよ。ふつうなら、自分の間違いを認められず、袋小路に陥ってしまうところだ。そんなふうにして膨大な時間を無駄にした研究者を私は何人も知っている。だが君は違った。モノポール探索の夢をあっさりと捨て、それまでに得た経験を、全く別の分野に生かすことを考えた。磁性体を高密度に磁化させる、新しい方式の考案だ。あれには驚いた。量子力学をやっていた人間が、突然磁気記録技術に挑んだのだからね」

「瓢箪《ひょうたん》から駒というやつです。はっきりいって、やけくそでした」

「ネーミングもユニークだった。名付けて磁界歯車。正直に答えてほしいんだがね、あの特許を取得した時には、これで大金持ちになれると思っただろう？」

「いや、そんなことは……」

「思わないはずがない。何しろ、アメリカの企業からの問い合わせが殺到したんだ」幸正は奈美恵のほうを向いて、目を大きく見開いた。

へえ、と彼女は湯川を見つめた。

「でも、結局どこの社も契約はしてくれませんでした。非常に限られた条件下でしか通用しない技術だということがばれちゃったものですから」

「惜しいことをしたな。しかし日本の物理学界にとってはよかった。君が大儲けをして、研究から身を引いていたら、貴重な才能を失うことになるからね」

「僕なんかは全然だめです。何年も研究して、ろくな結果を残せていない。歳だけくいました」

「弱気になる歳でもないだろ。そういえば君はまだ独身だったたな。結婚は考えてないのか」

幸正の言葉に、奈美恵は驚いて瞬きした。妻帯者だと思い込んでいたからだ。

「何事にも流れというものがあると思うんですが、どうやら僕の場合、その手の流れは上流のどこかで堰《せ》き止められているようです」

「単に独身のほうが気楽だと思っているだけじゃないのか」にやにやしながらコニャックを口に含んだ後、幸正は真顔になった。「しかし結婚に慎重なことは、決して悪いことじゃない。私もあの時、もう少し慎重になっていたら、と思う。研究のことで頭がいっぱいで、結婚や家庭といったことにまるで興味がなかった。恩のある人に勧められたから見合いをしたまでで、結婚を決めたのも、ただ断る理由が思いつかなかったからだ。だがそんな安易な考えで、人生にとって大事なことを決めてはいかんな。赤ん坊を連れて出ていった妻のことを当時は恨んだものだが、今思えば、やはりこちらにも非があった。もっと話し合うべきだったのに、その時の私は意固地になっていた。そんな折、マサチューセッツから声がかかった。二年間の共同研究だ。私は妻に断ることもなくアメリカに渡った。二年間の予定だったが、三年間になった。その間、ただの一度も連絡しなかった。妻がへそを曲げるのも無理はない」

幸正はコニャックを飲み干し、空のグラスをテーブルに置いた。ボトルに手を伸ばした。

「お父さん」

「もう、おやめになったほうが」湯川もいった。

「今夜だけだ。これを最後にする」

そういわれると、奈美恵も強くは止められなかった。仕方なく、彼女がボトルを持ち、幸正のグラスに注いだ。

「もう少し入れてくれたらどうだ」

「だめ。これでおしまい」彼女はボトルに蓋をした。

その時、キッチンに置いてある携帯電話が鳴りだした。こんな夜中にかけてくる相手といえば、一人しか思いつかない。

「出なさい。彼だろ」幸正がいった。

「……じゃあ、ちょっと失礼します。湯川さん、父がお酒を足さないように見張っててくださいね」

承知しました、と湯川が答えるのを聞き、奈美恵はキッチンに入った。出てみると、やはり紺野宗介《そうすけ》からだった。

「ごめん、今帰ってきたところなんだ。お袋から聞いたよ。大変だったみたいだね」

紺野の家は、同じ町内にある。二人は小学校と中学校が同じだった。ただし年齢差があるので、同時期に通っていたことはない。

「そうなの。参っちゃった」

「あの、それで、焼けたのは離れのほうで、そこにいた人が亡くなったらしいって聞いたんだけど……」紺野の口調は歯切れが悪い。感情を殺そうとする気配が伝わってきた。

「うん。あの人が死んだの」奈美恵も、極力平坦な声を出した。

そうか、といったきり紺野は黙った。奈美恵も言葉が出てこなかった。二人の思いが同じであることは明らかだったが、それをどちらも口に出来ずにいるのだ。

「で、君はどうなの？　怪我はなかった？」ようやく紺野が訊いてきた。

「大丈夫。母屋に被害はないから。父も元気よ」

「それならよかった。でも放火なんだろ？　そこにいて平気なのかな。まだ犯人は近くにいるかもしれないわけだし」

「その点は心配しなくていいの。警察の人が、今夜は外で見張っててくれるみたい。それに、父の教え子という人が来てくれてるし」

「じゃあ、大丈夫かな。だけど、どうしてそんなことになったんだろう。焼けたのが離れだからよかったけど、もし母屋を狙われていたらと思うと、ぞっとするよ」

「そうね。でも、その心配はないと思う」

「どうして？」

「犯人は、あの人を狙ったみたいだから」

「そうなのかい？　たまたま離れに火をつけただけじゃないの？」

「それが、そうじゃないみたい。詳しいことは、今度会ってからゆっくりと」

今ここで事件のことを長々と話すのは不謹慎なように思えた。

「そうだな。今夜は早く休んだほうがいいね。いつ会えるかな」

「今のところ、ちょっとわからないの。明日、メールするから」

「わかった。じゃあ、おやすみ」

おやすみなさい、といって奈美恵は電話を切った。

リビングでは湯川がボトルシップを見ているところだった。

「彼は、そろそろホテルに引き上げるそうだ。十分ほどでタクシーが来るらしい」幸正がいった。

「遅くまで付き合わせてしまって、どうも申し訳ありませんでした」奈美恵は湯川に向かって頭を下げた。

「いえ、僕も貴重な時間を過ごすことが出来ました。明日からいろいろと大変だと思いますが、どうかお身体に気をつけてください」

「ありがとうございます」

「今夜来た草薙と内海という刑事は、どちらも信頼できる人間です。何か困ったことがあれば、彼等に相談するといいでしょう。もし連絡しにくいということでしたら、僕にいってください」

「そうします。何から何まで、本当にすみません」奈美恵は再び頭を下げた。

湯川はボトルシップを元の位置に戻した。

「それにしても、見事な出来ですね。指の動きは、すっかり元通りらしい」

「いや、やはり昔のようにはいかんよ。しかし物を作れるというのは楽しい。そうだ、これなんかも自分で作ったんだ」幸正はステッキを湯川のほうに差し出した。

「これを？」湯川は手に取り、眺めている。

「その把手の部分を、ちょっと回してみてくれ」

「こうですか」湯川は把手を捻った。何か感じるものがあったらしく、そのまま引いた。するとシリンダーのように把手は三十センチほど伸びた。

「壊れた折り畳み式の傘の柄を使った」幸正はいった。「横着棒だよ。離れたところにあるものを引き寄せる時、このステッキを使う。届かない時には、そうやって伸ばす」

「なるほど」湯川は把手を元に戻した。その時、何かに気づいたようだ。「おや、このスイッチは……」

彼がスイッチを入れると、横の壁に小さな赤い矢印が現れた。レーザーポインタだ。

「これは何のために付けてあるんですか」湯川は訊いた。

「もちろんレーザーポインタ本来の用途のためだよ。たとえば、こういうふうに使う」

幸正は杖を返してもらうと、スイッチを入れた。リビングボードの上にある箱に矢印が現れた。「湯川君、あの箱を取ってきてくれないか、とね。足が不自由になると、こういう横着グッズが必要になるんだよ」

湯川は頷き、奈美恵に笑いかけてきた。

「この分なら、まだまだ長生き出来そうですね」

「本当に」彼女も頷き返した。

間もなくタクシーが来て、湯川は帰っていった。車を見送る幸正の背中は、ひどく寂しそうに奈美恵には見えた。

6

友永邸の前にある道を百メートルほど行ったところに、柏原という家がある。そこの六十五になる良子という主婦は、友永家の事情に精通していた。かなり古くから付き合いがあるらしい。

「じゃあ最初友永さんは、息子さんが帰ってきておられることを、近所の方々には隠しておられたんですね」薫は手帳を広げながら訊いた。

　彼女は縁側に座っていた。庭で洗濯物を干していた良子に声をかけたところ、ここに座るように勧められたのだ。良子は、籠に盛ったみかんまで出してきた。昨夜の事件についてはすでに噂が広がっているらしく、警察の人間が来るのを心待ちにしていたようだ。昨夜は親戚の通夜に行っていて、帰ってきた時には消防も引き上げていたという。

「あんなぐうたら息子じゃ、人様に話せないと思ったんじゃないですか。それに赤ちゃんの時に別れて以来、一度も会ったことがなかったわけでしょ。人に紹介もしづらいわよねえ。だけど、よく離れにでも置いてやったものだと思いますよ。やっぱり実の息子だから、情が湧いちゃったのかしらねえ」

「で、柏原さんはどうして、あの家に息子さんがいることを御存じだったんですか」

「奈美恵さんから聞いたんです。でもその前から勘づいてましたけどね。こんな狭い町ですから、すぐに噂が広がっちゃいますよ。おかしな格好をした男が、突然うろつき回るようになったら、誰だって変だと思うでしょう？　たちの悪い仲間たちと、夜中まで騒いでるなんてこともしょっちゅうでね。庭で、ぱんぱんぱんぱん爆竹を鳴らしたり、池に勝手に変な船を浮かべて遊んだり、本当にもう迷惑な話でしたよ。それでさすがに友永さんも近所に隠しておけないと思ったらしくて、親しい人には事情を打ち明けることにしたらしいんです。でも友永さんはああいう身体でしょ？　結局、実際に謝って回ったのは奈美恵さんなのよ。あの子が一番かわいそうよねえ。お母さんが入籍してもらえなかったせいで、変な話、友永さんが亡くなったとしても、一銭の遺産も入らないのよね。ひどい話だと思いますよ。あんなに献身的に介護してるってのに」鬱憤を吐き出すように良子はまくしたてた。

「邦宏さんが近所の方たちとトラブルを起こしたことはなかったんですか」

「それはしょっちゅうでしたよ。今もいいましたように、好き勝手をやってましたからね。だけど私らも、出来るだけ関わり合いにならないように気をつけていたんです。あの家には、怪しい連中が出入りするようになりましたからね」

「怪しい連中、というと？」

誰がそばにいるわけでもないのに、良子は口元を片手で隠した。

「借金取りですよ。あの馬鹿息子、ただ転がり込んでくるだけならまだしも、ずいぶんと大きな借金を抱えてたそうなんです」

昨夜、友永の口からは出てこなかった話だ。自分ではいいだしにくかったのだろう、と薫は想像した。

「どういうところから借金をしていたんでしょう」

「そこまでは知りませんけど、まともなところではないと思いますよ。胡散《うさん》臭い連中が取り立てに来てたみたいですからね。それより刑事さん、昨日の火事、ただの放火じゃないんですか。近所の人が、刃物を持った人間を見なかったかって、警察の人から訊かれたっていってるんですけど」

「いや、それは……私はよくわかりませんので」

薫は退散することにした。強く勧められたので、みかんを二つ受け取った。

その後も何軒かの聞き込みをした後、一旦所轄の警察署に戻った。会議室には間宮や草薙の姿があった。草薙は、友永邦宏の交友関係を洗ってきたらしい。

「一言でいうとアホだな」草薙はいった。「邦宏の母親の和代は、友永氏と別居後、実家の税理士事務所を手伝っていたそうだ。ところが税理士だった父親が急死して、一気に収入がなくなった。このあたりに友永氏からの離婚話を拒絶していた理由がありそうだ。友永氏は律儀に生活費を送っていたらしくて、そのおかげで邦宏は貧乏を経験することなく高校を卒業している。その後はいろいろな職業を転々とするが、全く続かず、代わりにギャンブルや風俗店通いにハマる馬鹿っぽさだ。内海が聞いてきた借金ってのもギャンブル絡みだ。カード会社のブラックリストには、とっくの昔に載っている。だけど遊び仲間の話だと、例の離れに住むようになってから、そういう借金は全部解消されたらしい。つまり友永氏が払ったってことだ」

「そうなんですか……」

薫は何だか胸焼けがしてきた。草薙が被害者を呼び捨てにする気持ちもわかるし、友永幸正が何となく清々しているように見えたことにも合点がいく。

「借金の額については、岸谷が調べているところだ。だけど俺の感触だと、百万二百万の話じゃない。最低でも、その十倍だ。アホだよ、全く」

「アホだろうが何だろうが、殺されている以上、犯人を挙げなきゃしょうがない」そういいながら間宮はみかんの皮を剝いている。「さあて、どこから攻めるか」

「凶器、まだ見つからないんですか」

薫が訊くと間宮は渋い顔をした。

「所轄さんが、かなり広範囲にわたって調べているが、出てこない。やっぱり、犯人が持ち帰ったと考えるのが妥当だな」

「日本刀じゃ、置いていったら一発で足がついちまうもんなあ」草薙がいった。

「日本刀なんですか」

「そういう話だ」

「いや、日本刀と決まったわけじゃない」間宮が、みかんを口に入れながらいった。「被害者の身体は背中から胸にかけて、鋭い刃物で貫通されている。その刺し傷の幅は約五ミリで、長さは約三センチ。ちょうど日本刀ぐらいじゃないか、という話になっているだけだ。相当強い力で、ひと突きだ。仮に日本刀だとしたら、相当な剣豪だろうって解剖した医者はいってたらしい。ほかに外傷はない。肺に煙が入ってないから、火をつけられたのは殺された後だ」

「日本刀じゃないとしても、人間の身体を貫通させるわけですから、かなり長い凶器ですよね」

「最低でも三十センチはあるはずだ」草薙がいった。「おまけに血糊がべったりと付いているんだから、そんなものを持ち歩けない。返り血だって浴びてるかもしれないしな。車でないと逃走は無理だ。放火された直後に非常線を張ってりゃ、簡単に引っかかってたかもしれない」

「無理いうな。殺しだとわかったのは、死体が見つかってからなんだ」周りにいる所轄の捜査員たちの耳を気にしてか、間宮は低い声でいった。「草薙は引き続き被害者の交友関係を当たって、金銭トラブルがなかったかどうかを調べてくれ。内海は友永の家へ行け。借金について、友永氏から事情を聞くんだ」

わかりました、と薫は草薙と声を合わせて答えた。

7

「おっしゃる通りです。あいつの借金の肩代わりをしました」幸正は落ち着いた声で答えた。矍鑠《かくしゃく》としているつもりだろうが、奈美恵の目には、やはり憔悴して見える。

「どういうところから借りていたんでしょうか」内海薫が訊いた。

「いろいろです。大手の消費者金融もあれば、怪しげな街金融もいました。領収書を取ってあるはずだから、後でお見せしましょう」

「よろしくお願いします。金額はどの程度でしたか」

「さあ、全部合わせれば、五千万は超えていたかもしれませんな」

内海薫は、目を見張った後でメモを取り始めた。

横で話を聞きながら、奈美恵は当時のことを思い出していた。

取り立てにやってきた男たちは、それなりに紳士的ではあったが、妥協や温情といった言葉とは無縁の存在だった。彼等は邦宏に幸正という金づるがいることを知り、色めきたっていた。直接的に脅してはこないが、真綿で首を絞めるように、じわじわと幸正を追い詰めていった。邦宏は、そんな父親の苦しみを思いやるどころか、取り立て屋以上の残虐性で彼を責め立てた。

誰のせいだと思ってるんだよ——それが邦宏の口癖だった。

両親の身勝手のせいで、自分はこんなふうになった。ふつうの父親なら、金だけでなく労力も子育てのために注ぎ込んだはずだ。それを免れたのだから、その労力に見合うものを返してもらわなければ話が合わない。しかも自分は大学に行けなかった。もっと十分な教育を受けさせてもらえれば、大学に行けたはずだ。だから教育費と、大学に進学していた場合にかかった費用も、自分は受け取る権利がある——よくもまあそれだけこじつけられたものだと感心するほど、邦宏の口からは際限なく金を要求する言葉が出てきた。取り立て屋でさえ、横で苦笑していた。

自己破産させればいいじゃないか、と奈美恵は思った。しかしそれを口にする勇気がなかった。所詮自分は他人だという負い目があるし、何より、幸正の気持ちがわかっていた。彼は、心の底では邦宏に詫びているのだ。邦宏のでたらめな理屈に反論しないでいるのは、そんなふうに堕落した原因が自分にあると思っているからだ。

結局幸正は、友永家の土地を切り売りして借金返済に充てた。奈美恵は、友永家にどれだけの財産があるのかを全く知らないのだが、特に裕福なわけでないことは把握していた。

この後も内海薫は、借金を巡ってのトラブルや、近隣の人々との揉め事の有無などについて、粘り強く質問してきた。すでに邦宏について、ある程度の情報を収集している様子だった。

「ところで、邦宏さんの周りに日本刀を所持していた方はいらっしゃいませんか」内海薫が訊いてきた。

「日本刀？」

「日本刀でなくても、長い刃物を持っている人がいるとか、そういう人がいるという話を聞いたとか、そんなことはありませんか」

さあ、と幸正は首を捻った。

「心当たりはありませんね。息子は日本刀で殺されたんでしょうか」

「ですから、日本刀かどうかは不明です。長い凶器ということがわかっているだけで。お心当たりがないのであれば結構です」

彼女は、さらにいくつか質問をした後、金融業者の領収書の写しを受け取り、引き上げていった。

「あの分だと、これからも何度か話を聞きにくるんだろうな」

幸正が嘆息した時、インターホンのチャイムが鳴った。奈美恵が出てみると、訪問者は紺野宗介だった。

「仕事で、この近くまで来たから寄ってみたんだ」マイク越しに彼はいった。

通してやりなさいと幸正がいうので、奈美恵は紺野をリビングに招いた。幸正は自分の部屋に下がった。気を利かせてくれたのだろう。二人が交際していることは、すでに話してある。

「離れを見てきたよ。かなりすごいことになってるね」童顔の宗介が目を丸くすると、一層若く見えた。

「全焼って感じでしょ。後片づけに、またお金がかかりそう」

「いいんじゃないの。しばらくはあのままでも」

「そういうわけにはいかないわよ」

奈美恵は宗介のために紅茶を入れてやった。ありがとう、と彼はいった。

宗介は自動車会社のディーラーで働いている。両親と三人暮らしだが、父親は殆ど寝たきりの状態で、母親が世話をしている。

「刃物で刺されてたんだってね」紅茶を一口飲んでから彼はいった。「昨日、君がいってた意味がわかったよ。犯人の狙いは、あいつだったってこと」

うん、と奈美恵は頷いた。

「あのさ、こういうことをいっちゃいけないってことはわかってるんだけど、敢えていっちゃうとさ、俺、その犯人の肩を持ちたい気分なんだよね。よくぞ殺してくれたって、感謝したいぐらいなんだ」

「宗君、それはまずいよ」

「わかってる。だから、ここだけの話」宗介は唇を舐めた。「でも、君だってそう思ってるだろ？」

奈美恵は黙っていた。だがそうすることが答えでもあった。

「あいつは、友永さんが死ぬまで寄生する気だった。死んだ後は、財産を奪う気だった。財産のことなんかはいいけど、あのままだったら君は幸せになれなかった。僕との結婚だって叶わなかった。だって君は、友永さんを見捨てられないもんね」

「それはそうよ。血は繋がってないし、戸籍上は他人だけど、大事な父親だもの」

「だからさ、よかったなって思ってるんだ」

「お願いだから、よそでそんなことをいわないでね」

「わかってる。僕だって、そんな馬鹿じゃない」宗介はティーカップを置き、彼女の手元に目を向けた。「その指輪、よく似合ってる」

「そう？　父がいってた。紺野君、そんなに奮発して大丈夫なのかなって」

「いくら安サラリーマンだからって、それぐらいは買えるよ。いっとくけど、ローンなんて組んでないぜ」

「それ聞いて安心した」

二人が見つめ合った時、またしてもチャイムが鳴った。奈美恵は首を傾げながら出てみた。相手は警察の人間だった。しかも内海薫でも草薙でもなかった。

「見張りの者から聞いたのですが、紺野宗介さんがいらっしゃってるそうですね」相手は訊いてきた。

「ええ、いらっしゃいますけど……」

「すみませんが、ちょっとお話を伺いたいんです。よろしいでしょうか」

「あ、はあ……」

奈美恵は紺野に確かめてみた。彼によれば、敷地に入る際、制服警官に呼び止められたらしい。

彼女は紺野と共に玄関に向かった。ドアの外では、二人の男が待ち構えていた。

「紺野宗介さんですね」いかつい顔をした年嵩《としかさ》の男がいった。

「そうですけど、何か？」

男は警察手帳を出してきた。そしていった。

「昨日の夜八時頃、どこにいらっしゃいましたか」

8

広い背中が薫のほうを向いていた。両手の指が、めまぐるしいスピードで動いている。キーボードが壊れるんじゃないか、と思うほどだった。だが動くのは肘から先だけで、ぴんと伸ばした背筋は全くぶれない。

ぱん、と何かのキーを叩いた後、湯川は椅子を回転させた。

「最近はメールの返事を打つだけで一苦労だ。同じ人間が一日に何度も送ってくるものだから、効率が悪くてかなわない。用件を整理して、一度にまとめてくれると助かるんだが」湯川は眼鏡をずらし、瞼を揉んでから薫を見た。「わざわざ来てくれたのに待たせて悪かった」

「いえ、大丈夫です」

薫は湯川の研究室に来ていた。捜査の進捗状況を知りたいから、ついでがある時に寄ってほしい、というメールが入っていたからだ。彼女は今夜、警視庁に戻る用がある。

「それで、どんな具合かな。おっとその前に、コーヒーでも入れようか」

「私は結構です。——はっきりいって、難航しています。かつて被害者は、かなり乱れた生活をしていて、他人とのトラブルも絶えなかったのですが、最近ではそういう話は全くないんです」

「トラブルがないから、恨まれてもいなかった、とはかぎらないだろう」湯川は流し台の前でインスタントコーヒーを作り始めた。

「それはそうですけど……。お気に入りのコーヒーメーカーはどうしたんですか」

「独り暮らしの学生に進呈した。僕はやっぱりこっちがいい。——現場から、手がかりとなりそうなものは見つからないのか」

「残念ながら、今のところは何も」

「刺し殺されたといってたね。凶器は？」

「見つかりません。かなり特殊なものだと思われるんですけど」

薫は、凶器についての情報を湯川に話した。

「ふうん、日本刀ねえ。それでひと突きか……」

「被害者の周辺には、日本刀の類を持っている人はいません。これ、どういうことだと思います？」

「そんなことを僕に訊かれてもな」湯川は椅子に座り、コーヒーを飲んだ。「君たちにも話したが、友人たちが奇妙なことをいっていた。家が燃え始めた時、やけに激しく破裂音がしたということだった。色とりどりの炎が見えたともいっていた。あれについては、何かわかったのかい？」

「わかりました。原因は花火です」

「花火？」

「被害者は部屋に花火を保管していたんです。花火や爆竹で遊んでいたということは、近隣の住人からも証言が取れています」

「ふうん、花火か。それなら謎の一つは解けたわけだな」

「ほかにも謎が？」

「ガラスの割れる音が聞こえたといっていた。火災が発生する前だ。あれは何だったんだろう」

「それについても解決済みです。犯人が割ったんです」

「何のために？」

「侵入するためです。犯人は、池に面した窓から侵入したと考えられます」

「やけに自信たっぷりだな。根拠は？」

「焼け跡から見つかった玄関ドアを調べたところ、施錠された形跡があったそうです。したがって、犯人が玄関から入ることは出来ません。ガラス窓を破って侵入したと考えるのが、最も妥当だと思います」

湯川はコーヒーカップを置き、腕組みをした。

「そこから侵入したとして、脱出したのはどこからだ？　割れた窓は、友人たちや奈美恵さんが見ていたはずだ」

「必然的に、隣の部屋の窓からということになります。そこだと、母屋から見えないので、犯人はそうしたんだと思います」

「その窓の鍵は？　現場検証の際には開いてたのか」

「それは……確認できなかったそうです。消火活動の際に壊れてしまったとかで。でも、開いてなきゃおかしいですよね。犯人は家から出なかったことになります」

「何だって？」

「だから、ガラスが割れた窓は皆さんが見ていたし、玄関ドアも、ほかの部屋の窓も鍵がかかっていたら、犯人はどこからも逃げなかったことになります。それはおかしいです」

こんな当然のことを繰り返さねばならないほど、湯川は血の巡りの悪い男ではない。

変だなと思いながら薫は彼を見つめた。

湯川は人差し指で眼鏡の位置を直した。

「死体は、部屋のどのあたりに倒れていたんだろう？」

「たしか、窓のそばです。消防隊員たちは運び出すのに夢中で、正確な姿勢までは覚えていないそうですが、窓のすぐ下だったことは間違いないようです」

「窓のそば……被害者は部屋で何をしていたんだろう？」

「さあ。あの部屋には、液晶テレビとかＤＶＤデッキが置いてあったんですけど」

「それを見るための椅子とかソファが、窓際に置いてあったのか」

「いえ、そうではなさそうです。窓際には、特に何も置いてなかったみたいです」

湯川は右手の肘をつき、拳に息を吹き込むようなしぐさをした。

「内海君、想像してみてくれ。君が部屋にいるとする。突然窓ガラスを割られたら、どうする？　逃げるんじゃないか」

「もちろんです。でも、逃げ遅れることだってあります。追いつかれて刺されたということも、あり得なくはありません」

「しかしそれでも少しは逃げてるわけだから、窓のそばで倒れてたというのは変じゃないか」

「逃げ回って、最終的に刺された場所が窓のそばだった、ということじゃないでしょうか」

湯川は眉間に皺を寄せた。

「部屋の中をぐるぐる回って逃げたというのか。外に出ることは考えず」

「それは……たしかに変ですけど、そういう人もいるかもしれません。気が動転していたら、人間はおかしなことをするものです」

湯川は得心のいかない顔つきで、頬杖をついた。じっと作業机の表面を見ている。

「メタルの魔術……」呟きが聞こえた。

「何ですか」

「いや、何でもない。独り言だ」

「何か気に掛かっていることがあるんですか」

「そういうわけじゃない。いつもの習慣で、あれこれと難癖をつけているだけだ」彼は手を振った。「ところで、もう一つ質問がある。さっき君は、怪しい人間が見当たらないようなことをいっていたが、本当にそうなのか？　僕は、警察があの二人を疑わないわけがないと思っているんだがね」

彼が誰のことをいっているのかは薫にもわかった。

「友永さんと奈美恵さんのことなら、いの一番に疑っています。でも、即座に除外されました」

「アリバイがあるからかい」

「そうです。それ以前に、友永さんに犯行は無理です。奈美恵さんの場合、トリックを使えば可能ではないか、という意見は出ました」

「トリックとは？」

「被害者が刺されたのは、じつはもっと以前で、あの火災は犯行時刻を錯誤させるための仕掛けではなかったのか、という説です。でも、解剖の結果、それはありえないと断定されました。死亡推定時刻は、火災が起きた時刻とほぼ一致しています」

「なるほど。それはよかった」

ただ、と薫は続けた。

「共犯者がいた可能性はあります。というより、主犯は別にいて、あの二人が共犯者だったと表現したほうが正しいんですけど」

「興味深いね。有力な容疑者はいるのかい」

話すべきかどうか迷ったが、薫は口を開いていた。

「奈美恵さんには恋人がいます。紺野さんという人です。紺野さんにアリバイはありません。事件当時、一人で職場にいらっしゃったそうなんですが、証明してくれる人がいないんです。ついさっき、その方の自宅を任意で調べました。でも、凶器は見つかりませんでした」

そうか、と湯川は呟いた。

「ほかに何か？」

「いや、もう十分だ。忙しいのに、本当に申し訳なかった。どうもありがとう」湯川は頭を下げた。

「いえ。じゃあ、私はこれで」薫はバッグを肩にかけ、ドアに向かった。

内海君、と湯川が声をかけてきた。彼女は振り返った。

ところがそのまま彼は黙っている。逡巡の色が、寄せた眉根に浮かんでいる。

「何でしょうか」

「いや……」湯川は目をそらした。

「何ですか。いってください」

すると湯川は胸を大きく上下させた後、薫を見ていった。

「現場を……見せてもらえないだろうか」

「現場ですか？　あの離れ家の焼け跡を、という意味ですか」

「そうだ。あ、いや」彼は再び視線をずらした。「無理にとはいわない」

薫は胸騒ぎを感じた。この物理学者が重大なことに気づいた時、必ずといっていいほど全身から発する気配がある。それを感じ取っていた。ただ、彼の表情だけがいつもと違う。

「上に相談してみます」薫はいった。「必ず、見ていただけるように手配します」

湯川が小さく頷くのを見て、彼女はドアに向かった。

9

湯川が最初に手に取ったのは、黒焦げになった書物だった。それは何となく薫が予期したことだったので、つい胸が熱くなった。

「ひどいもんだ……」湯川は呟いた。「どれもこれも、簡単に手に入る文献じゃないのに」

彼の足元には、焼け焦げ、さらには消火用の水でびしょ濡れになった、たくさんの書物が散らばっていた。

「壁一面を作りつけの書棚にしてあったようです。そこが最も被害が大きいので、おそらく火元だと思います。花火も、書棚の近くに置いてあったようです」

話しているのは、鑑識課の大道という若手だった。湯川への説明役として来ている。間宮が手配してくれたのだ。

湯川は、部屋の中央に立っていた。焼け崩れた書棚を見つめた後、くるりと踵《きびす》を返し、窓に近づいた。窓の向こうには池が見える。

「このガラスの指紋は採ったんですか」彼は足元に散らばっている破片を見下ろした。

「採りました」大道が答えた。「しかし、手がかりになりそうなものはありません。被害者のものがいくつか見つかっただけです」

湯川は頷いた後、腰を落とし、何かを拾い上げた。もちろん彼は手袋をしている。

「電話の子機みたいですね」薫が横からいった。

「うん。親機はどこにあるんだろう」湯川は周囲を見回した。

「ここにありますよ」大道が、ソファの残骸の横を指した。「子機の充電スタンドもあります」

湯川は、子機を持ってそこへ行くと、スタンドに立てた。それから窓のほうを見た。

「どうして子機が、あんなところに落ちていたんだろう。ふつうならスタンドに立てておくはずだ」

「被害者が使用していた、ということでしょうか」薫はいった。

「そう考えるのが妥当だろうな」

「すぐにNTTに問い合わせてみます。電話中だったなら、その相手が何かを知っているかもしれません」薫は手帳にメモをした。

湯川は改めて焼けた室内を見渡した。

「部屋の図面はありますか」大道に訊いた。

これです、といって大道は手にしていたファイルから、Ａ４判のコピー紙を取り出した。

湯川はそれを見つめた後、再び窓に近づいた。

「このガラスの破片を持ち帰っても構いませんか」

「えっ、ガラスをですか」大道が聞き返した。

「ええ。どんなふうに割れたか、調べてみたいんです」

「ははあ……」大道は戸惑いの表情を見せた後、携帯電話を取り出した。「わかりました。ちょっと待ってください。上の者に訊いてみます」

「ガラスがどうかしたんですか」薫は湯川に訊いた。

しかし彼は答えない。じっと窓の外を見つめている。

「あれは何だろう？」ぽつりといった。

彼が見ている方向に薫も視線を向けた。池に何かが浮かんでいる。

「カヌーみたいですね。そういえば近所の奥さんが、被害者は池に変な船を浮かべて遊んでたといってましたけど、あれのことだったんですね」

カヌーか、と湯川は呟いた。

大道が近寄ってきた。

「上司の許可を取れました。そういうことでしたら、こちらで回収し、今日中に研究室に届くよう手配します。こんなところで先生に指でも怪我されたら、そっちのほうが面倒ですからね」

「わかりました。よろしくお願いします」大道に会釈した後、湯川は薫を見た。「奈美恵さんを呼んできてもらえないだろうか」

「ここへですか」

「そうだ。訊きたいことがある」

「わかりました」

薫は母屋を訪ねた。奈美恵は昼食の支度をしているところだったらしく、エプロンを付けていた。湯川からの言葉を伝えると、やや怪訝そうな顔つきでエプロンを外した。

薫は奈美恵を現場へ連れていった。湯川は挨拶もそこそこに、早速切りだした。

「事件当日の昼間、あなたと先生は、この部屋で邦宏さんとお会いになったということでしたね。その時のことを、もう少し詳しく話していただけませんか」

「あの時のことが何か？」

不安げな様子の奈美恵に湯川は笑いかけた。

「火災現場というのは、学者にとって貴重な研究材料になる場合があるんです。気になさらず、お話しになってください」

そんな説明で納得したのかどうかはわからないが、そうですかといってから、奈美恵は記憶を辿るようにぽつりぽつりと話し始めた。それを薫は記録した。

友永はボトルシップを取りに来たついでに、そろそろ離れ家を出ていくよう邦宏に命じたらしい。無論、邦宏は承知しない。いつものように険悪なムードで物別れに終わったようだ。

湯川の質問は、その話し合いの最中、誰がどこにいたのか、ということにまで及んだ。また、ボトルシップはどこに置いてあって、誰が取りに行ったのか、ということも訊いた。

「あれについては何かおっしゃってませんでしたか」湯川は窓の外を指した。「あのカヌーについてです」

「ああ、そういえば」

奈美恵によれば、町内会から苦情が来ているから片づけろ、と友永は邦宏にいったらしい。それに対しても邦宏は、したがう気はなさそうだったという。

「あのカヌーが何か？」

「いえ、珍しいものが浮かんでいるなと思っただけです。質問は以上です。ところで、先生はどうしておられますか。御挨拶したいのですが」

「じゃあ、ちょっと訊いてきます」

奈美恵が母屋に向かうのを見送った後、湯川は大道に近づいた。

「火薬の成分を調べましたか」

「えっ？」

「花火の燃えかすが残っていたということですが、残留していた火薬の成分について、詳しい分析をしましたか、ということです」

「あ……いや、そこまでは。火薬が何か？」

湯川は眉間に皺を寄せ、何事か考えている様子だったが、結局首を振った。

「何でもありません。一応、伺っただけです」そういって手袋を外した。

奈美恵が戻ってきた。

「どうぞいらしてください、とのことです」

「そうですか。では遠慮なく」湯川は手袋を薫に渡し、母屋に向かった。

薫は大道のそばに寄った。

「お願いがあるんですけど」

「わかってるよ」大道は、にやりと笑った。「火薬の成分を調べるんだろ？　いわれなくても、やるつもりだった」

「ありがとうございます」

「でも湯川先生、何だかおかしいな。どうしてもっとはっきり、成分を調べろといわないんだろう」

「さあ」薫は母屋のほうを見た。

10

奈美恵が襖を開けた時、幸正はまだベッドで横たわったままだった。

「お連れしたわよ」

「おお、そうか」彼はあわてて手元のスイッチを操作した。モーター音がし、ベッドの上半身を支える部分が、ゆっくりと起き上がった。

お邪魔します、といって湯川も部屋に入ってきた。ベッドのそばに椅子がある。奈美恵はそれを彼に勧めた。

「コーヒーと紅茶、どちらがいいですか」奈美恵は訊いた。

「いや、僕は結構です。すぐに引き上げなきゃいけないんで」

「私も、今はいい」幸正がいった。

奈美恵は席を外すべきかどうか迷ったが、結局椅子を引き寄せ、腰を下ろした。じつのところ、湯川のことが気になっていた。なぜ彼が火災現場であんな質問をしたのか、わからなかった。

「お加減はいかがですか」

「うん、大丈夫だ。あんなことがあって、毎日のように警察の相手をしなきゃならんから、少々疲れたがね」

「ほどほどにしておくよう、いっておきます」

「心配しなくていい。ところで、警察の捜査に協力しているようだね」

「協力というほどのことではありません」

「君のことを、以前新聞で読んだことがある。T大の物理学者が、警視庁に協力して、不可解な謎を解いたという記事だった。Y准教授となっていたが、あれは君のことだろ?」

湯川は苦笑し、目を伏せた。

「研究をサボって、何をしているんだと叱られそうですね」

「いや、学んだことを人助けに利用するのは、学者として当然のことだ。世の中には、その逆をする人間も多い。つまり、学んだことを人殺しに使う連中のことだ」

湯川は頷いてから幸正の顔を見つめた。その表情は硬かった。そのままの顔で室内を見回した。

「まるで、今も研究をしておられるような雰囲気ですね」

多くの書物が棚に収められているし、現役時代に使っていた作業台もあるからだろう。部品や薬剤を収めたキャビネットも、そのままだった。

まさか、と幸正は笑った。

「眺めて感傷に浸っているだけだ。捨てるのも惜しくてね」

「お気持ちはわかります」湯川は腰を浮かせ、窓から外を覗いた。「眺めのいいところですね。池を見下ろせるし」

「見飽きた光景だよ」

「でも、人工的な景色と違って、自然の景色は毎日のように色を変えます」

「それはそうだな」

「ここからだと離れも見えるんですね」湯川がいった。「離れの窓も」

「見えるよ。だから火事が起きた時も、ここから見ていた」幸正は答えた。

湯川は椅子に座り直し、自分の胸元を探るしぐさをした。

「しまった。ケータイを忘れてきた。――すみませんが、こちらの電話をお借りしてもいいですか」彼が指したのは、ベッドの横にある固定電話だ。

かまわんよ、と幸正がいった。

湯川は受話器を耳に当てた。それから小さく首を傾げた。

「外線をかける場合は、こちらのボタンを押すんです」奈美恵は横から手を出した。

「ごめんなさい、古い電話で」

いいえ、と笑い、湯川は電話をかけた。

「もしもし湯川だ。……今日、研究室に荷物が届くことになっている。すまないが、もし僕が戻らなかったら、受け取っておいてくれないか。……うん、よろしく」

電話を切り、ありがとうございました、といってから彼は腕時計を見た。

「どうもお邪魔しました。そろそろ失礼します」

「もう行くのか。忙しいんだな」

「今日は、お会い出来てよかったです」湯川は深々と頭を下げた。

奈美恵が彼を玄関まで見送った。幸正の部屋に戻ると、彼は再びベッドを倒して横になっていた。

「その後、紺野君はどうなった？　アリバイを尋ねられたりしたそうだが」

「自宅から何も見つからなかったから、あの後は警察も何もいってこないみたい。でも、たぶんまだ疑われているようだっていってた。職場に刑事が来たこともあるそうよ」

「それは……いかんな」

「警察が彼を疑うのも無理ないとは思うけど、そんなことの出来る人じゃないのに」

「大丈夫だ。そのうちに疑いは晴れるよ」そういって幸正は窓から空を眺めていた。

11

腕を組んで座っている間宮の口は、への字になっていた。頬に肉がついてきたので、そんな表情をしていると犬のブルドッグのようだ。

「カップラーメンの空き容器が見つかったって？」

「そうです」

間宮の前には草薙が立っていた。手を後ろに回し、上司を見下ろしている。

「おまえ、紺野にアリバイがないってことを確認しようとしてたんじゃないのか」

「それは少し違います。本人の供述が事実かどうかを調べてたんです。あの夜、紺野は事務所で残業をしていました。午後八時頃にはカップラーメンを食べたといっています。その容器が見つかりました。紺野の指紋が付いています。で、その容器が捨ててあったゴミ箱のゴミが回収されたのが、事件当日の午後八時半です。そのゴミ箱は廊下に置いてあるので、回収係は紺野がいることに気づかなかったようです。事件発生が午後八時過ぎで、現場から紺野の職場までは最低でも一時間はかかりますから、紺野が犯人だった場合、そのゴミ箱にラーメンの容器を捨てることは出来ません」

「もっと以前に捨てた可能性は？」

「あり得ません。その日、紺野は午後七時に会社に戻るまで、ずっと外回りをしていました」草薙は淡々と語る。

「じゃあ、紺野にもアリバイがあるってことか」

「そうなります」

「おまえ、ゴミを漁《あさ》ったのか」

「いけませんか」

「いや、御苦労、よくやった」間宮は仏頂面のままでいい、両手で頭を掻いた。「おかげで容疑者がいなくなった。くそっ、あいつが一番怪しいと思ったんだがなあ」

草薙は踵を返し、薫のところへやってきた。

「紺野宗介の疑いが晴れたようですね」

「当然だろ。あの男は犯人じゃないと最初から思ってた。あいつには無理だよ」

「刑事の勘ですか」

「そうじゃない。紺野の学生時代の体育の成績を知ってるか？　窓を破って侵入し、日本刀で素早く刺し殺す、なんてことが出来るはずがない」

「へえ、なかなか論理的じゃないですか。湯川先生の影響ですか」

「おまえ、俺をからかってるのか」

草薙が睨みつけてきた時、一人の男が会議室に入ってきた。鑑識の大道だった。彼は間宮のところへ行き、何かの書類を見せている。間宮はそれを眺めた後、薫たちのほうに目を向けてきた。

「おまえら、ちょっと来い」

席に行くと、これを見てみろ、と書類を差し出された。それは先日鑑識に依頼した、現場から採取された火薬の分析結果だった。

「トリメチレントリニトロアミン……何ですか、これは」草薙が訊いた。

「爆薬の一種です。プラスチック爆弾などにも利用されます。少量ですが、それがあの現場で使われた可能性があります」大道が答えた。

「花火に使われることは？」

薫の質問に、大道は即座に首を振った。

「花火に使われるのは黒色火薬だ。もちろん、それも現場から検出はされている」

「犯人は、爆薬を使って、あの火災を起こしたというのか」間宮が訊いた。

「それはわかりません。被害者自身が保管していたのかもしれませんし」

「この結果が出たことで、鑑識の見解に何か変化は出てくるのかね。花火が爆薬に変わっただけだという気がするんだが」

「それはまだ何とも。結果が出たばかりですから」

「ちょっといいですか」草薙は書類を手に取り、薫のほうに向けた。「おまえ、これを持って湯川のところへ行け」

「それがいいと思う」大道もいった。「あの先生は何かに気づいてるんだよ。こっちで議論するより、直接訊いたほうが話が早い」

間宮は何もいわないが、許可する、とでもいうように小さく首を縦に振った。

行ってきます、といって薫は書類を受け取った。


帝都大学物理学科第十三研究室の行き先表示板によれば、湯川は外出中のようだった。部屋にいた学生に訊くと、第八研究室にいるはずだという。その足で、五つ横の部屋を訪ねてみた。

湯川は一人で資料らしきものを広げているところだった。彼は薫を見て、読んでいたファイルを急いで閉じた。


「来る時には、連絡の一本ぐらいは欲しいものだね」

「携帯電話にかけましたが、お出にならないものですから」

「あ……」湯川は唇を嚙んだ。「部屋に置きっぱなしだった」

「この部屋は何ですか。別の研究室に来られることもあるんですね」薫は彼が閉じたファイルに目を向けた。『爆発成形における金属の流体的挙動の解析』という文字が見えた。意味はわからない。だが、爆発、という言葉が気にかかった。

「僕だって、ほかの部屋に用があることだってある」湯川はファイルを取り上げた。

「僕に話があるのなら、ここは出よう。外で待っていてくれ」

「わかりました」

薫が廊下で待っていると、間もなく湯川も出てきた。ファイルは持っていなかった。

「その後、何か進展はあったのかい」歩きながら湯川が訊いてきた。

「紺野さんの容疑が晴れました。草薙さんがアリバイを見つけたんです」

「そうか。さすが敏腕刑事、なかなかやる」

「それから、これです」薫は立ち止まり、鞄から書類を出した。「草薙さんが、湯川先生に見てもらえと」

湯川は書類を受け取り、素早く目を走らせた。その目が曇った。

「成分を調べたのか」

「いけませんでしたか」

いや、と首を振り、彼は書類を薫に返した。

「これについて鑑識は何と？」

「正式なコメントはまだありません」

「そうか」

湯川は窓に近づき、外に目を向けた。その横顔は熟考しているようであり、何かを苦悩しているようでもあった。

薫は、先生、と呼びかけようとした。だがその前に彼のほうが彼女を見た。

「君、ここへは車で？」

「そうですけど」

「それなら頼みがある。僕と一緒に友永邸へ行ってくれないだろうか」

「友永さんのところへ？　それは構いませんが、どういう用件ですか」

「それは……向こうへ行けばわかる。向こうへ行って、友永先生に会えば」

湯川の目には、薫がこれまでに見たことのない悲しみの色が滲んでいた。彼女は、それ以上の質問を躊躇った。

「わかりました。車を門のほうへ回しておきます」

「ありがとう。すぐに行く」湯川は白衣の裾を翻し、自分の研究室に向かって歩きだした。

12

助手席の湯川は、殆ど無言だった。じっと前を向いたままだが、前方の景色を眺めているわけでないことは、薫にもわかった。

「音楽でもかけましょうか」

尋ねてみたが返事はない。薫は諦めて運転に集中することにした。

「友永先生は」ようやく湯川が口を開いた。「独創的な閃きで勝負する学者ではなかった。すでに誰かによって確認されている事実を、自分なりに拡大したり、応用していくという研究スタイルだった。膨大な数の実験を繰り返し、データを積み上げるタイプで、理論派というよりも実践派だった。そんな研究だって貴重だし、データには価値があると思うが、教授からの受けはよくなかった。新しいものが何もない、工学部の連中と同じことをやっている——そんなふうにいわれていた。退官するまで助教授のままだったのは、そういう事情があるからだ」

「そうなんですか」

薫としては、初めて知る話だった。友永幸正の経歴については、ほかの捜査員が調べた結果を聞いているが、どんな研究者だったかまでは把握していない。

「でも僕は、あの先生のやり方が好きだった。たしかに理論は大事だが、実践することも必要だ。実践して、失敗して、そこから新たな発見や着想が生まれることもある。あの先生は、僕にそのことを教えてくれた。だから、大切な恩人なんだ」

「その先生のところへ、何をしに行くんですか」

だがこの問いかけに彼は答えなかった。薫は、再び訊くことはしなかった。彼が何をするつもりなのか、わかりかけてきたからだ。

この人に任せよう、と思った。

友永邸を訪ねた二人を、奈美恵は戸惑った表情で招き入れた。湯川一人ならともかく、薫が一緒にいることを警戒したのだろう。

友永はリビングで本を読んでいるところだった。顔を上げて二人を見つめ、唇に微笑を浮かべた。穏やかな表情だった。

「今日は刑事さんと一緒か。ということは、単なる見舞いではなさそうだな」

「残念ながらそういうことです。大事な話があって、やってきました」

「そのようだね。まあ、座ったらどうだ」

はい、といったが湯川は座らず、奈美恵のほうを見た。彼女は何かに気づいたように瞬きし、壁の時計を見た。

「お父さん、私、買い物に行ってきます。三十分ほどで戻ります」

「ああ、わかった」

奈美恵が玄関を出ていく音が聞こえてから、湯川は友永と向き合うように座った。薫は彼等からは少し離れたダイニングテーブルについた。彼女の位置からだと湯川の表情は見えない。

「奈美恵には聞かれたくない話のようだな」友永がいった。

「いずれは話さねばならないでしょうが、今日のところは先生にだけ、ということで」

「うん。で、用件というのは？」

湯川の背中が小さく上下した。深呼吸したのだ、と薫は察知した。

「現場から炸裂火薬が見つかったそうです。トリメチレントリニトロアミン、かつて先生が『爆発成形における金属の流体的挙動の解析』で使用しておられたものです」

友永の目が細くなった。

「そのテーマを、よく覚えていてくれたね。懐かしい響きがある」

先生、と湯川はいった。

「事情はよくわかっているつもりです。やむにやまれず、やったことだと思います。それでもやはり、罪は罪です。どうか、潔く自首していただけませんでしょうか」

この言葉を聞いた途端、薫の心臓が激しく動き始めた。予想していた展開ではある。だが実際に耳にすると、やはり動揺した。

ところが肝心の友永に、狼狽《うろた》えた様子は全くなかった。穏やかな眼差しを、かつての教え子に注いでいる。

「私が邦宏を殺したというんだね。こんな身体の私が」

「その方法については、すべて察しがついてます。たしかにふつうの人なら、あんなことは出来ません。でも先生なら可能なんです。何しろ先生は、『メタルの魔術師』ですから」

友永が相好《そうごう》を崩した。

「その呼び名もまた懐かしい。何年前になるかな」

「僕が聞いたのは十七年前です。実験に参加させていただいた時、教わりました」

「そうか。十七年になるか」

「先生、どうか自首を」湯川はいった。「現時点で先生が自ら犯行を告白したとして、それが法律上の自首になるのかどうかは僕にはわかりません。でも警察は、先生のことを全く疑っておりません。今、すべてをお話しになれば、必ず裁判で情状酌量されます。僕の頼みを聞いてください」

するとと友永の顔から、それまでの笑みが消えた。能面のように無表情になり、冷徹といえる目で湯川を見つめた。

「そこまでいうからには、何か根拠があるんだろうね」

「ガラスの破片を分析しました」

「ガラスを……。それで？」

「破片一つ一つの破断面を調べ、コンピュータで解析しました。その結果判明したことは、あのガラスは外からではなく、部屋の内側からの力で割れたということです。参考までに付け加えますと、ガラスの表裏は煙草のヤニの付着によって判別しました」

「それで？　ガラスが内側から割られていたら、私が犯人なのか」

「単に割れたのではなく、まず非常に速いスピードで何かがガラスを貫通し、その影響でひびが全面に走り、ほかの部分も割れ落ちたんです。状況から見て、その何かとは、邦宏さんの身体を貫いたものと同一だと考えられます。警察が日本刀ではないかと推測したものの正体は、超高速で飛ぶ刃物だったんです。そんなことは、『メタルの魔術師』にしか出来ません」

湯川の話を聞き、薫は驚愕していた。メモを取りたい衝動に駆られた。だがじつは湯川から、今日の会話は記録しないでほしいと頼まれていた。

「先生が自首してくださらないのなら、僕は先生に代わって真相を警察に話さねばなりません。立証するための実験もしなければなりません。先生、僕にそんなことはさせないでください」いつも通りの淡々とした口調ではあったが、その声には湯川の必死の願いが込められているようだった。

だが友永は、ゆっくりと首を振った。

「それはできないな。私は息子を殺してなどいない。犯人は、私以外の誰かだ。日本刀を持った誰かだ」

「先生……」

「すまないが、帰ってくれ。君の妄想を聞いている暇はない」

「どうしてですか。先生は、自首するおつもりだったんじゃないんですか」

「何のことだ。妄想の続きかね。――刑事さん、帰ってくれといっているのに、客が帰らない場合にはどうすればいいのかな。何罪が適用される？」

友永に問われたが、薫としては困惑するしかない。黙って湯川の背中を見つめた。

「どうしても、だめですか」彼は重ねて訊いた。

「わけのわからない話に付き合うほど暇人だと思うのかね」友永は声を低くした。

湯川は立ち上がった。

「わかりました。失礼します」彼は薫のほうを向いた。「帰ろう」

「いいんですか」

「仕方がない。僕の読みが違っていたようだ」

「見送りはせんよ」友永がいった。「玄関の鍵は、そのままでいい」

湯川は一礼すると、玄関に向かった。

13

使い捨ての電子ライターを何度か使い、草薙はようやく煙草に火をつけた。少し風があるようだ。しかしコートの裾がはためくほどではない。

「火気厳禁だっていわれましたよ」薫は指摘した。

「装置の近くはって意味だろ。わかってるよ」煙を吐き、草薙は視線を遠くに向けた。

草むらの真ん中に櫓《やぐら》のようなものが組まれている。周囲では鑑識の人間たちが、真剣な顔つきで作業に当たっていた。湯川と大道は、櫓のそばで何やら話し合っている。

草薙、と湯川が呼びかけてきた。

「ほら、見つかった」

「うるせえな」草薙は顔をしかめ、携帯用の灰皿で煙草を揉み消した。

湯川が手招きをしている。薫は草薙と共に近づいた。

「これを見てくれ」

湯川が差し出したのは、十センチ角ほどの平たい箱だった。中央に細長いハートのような形をした金属の板が収められている。

「何だ、これは」草薙が訊いた。

「金属板はステンレスだ。厚みは約一ミリ。しかし均一ではなく、薄いところと厚いところがある。なぜそんなふうにしてあるのかは後で話す。金属板の裏側にはペースト状にした爆薬が塗ってある。爆薬のさらに裏には、無線で操作できる起爆装置が取り付けられている」

「物騒な代物だな」

「だから火気厳禁だといった。すまないが、ここでの喫煙は遠慮してくれ」

草薙は口元を曲げ、片方の眉を動かした。

「この櫓は、友永邸の離れ家にあった書棚だと思ってくれ。図面によれば、ここから約五メートルのところに窓がある」

湯川が指した先には、窓ガラスの模型が立ててあった。その向こうには土嚢が積まれている。窓ガラスの手前には台が置かれ、布に覆われた四角い物体が載っている。

「あれは何だ」

草薙の問いに、豚肉です、と大道が答えた。

「貫通力を確認するためです。人間を使うわけにはいきませんから」

「なるほどね」

湯川は櫓の中央に、金属板が窓ガラスのほうを向くように、持っていた箱を立てた。慎重に位置を調節している。

「これで準備完了だ。離れよう」

湯川の言葉を受け、大道が全員に退避するよう告げた。薫も湯川や草薙と共に、二十メートルほど離れたところに停めてある車両の後ろに隠れた。

大道がトランシーバーで仲間と連絡を取り合った後、「いつでもオーケーです」と湯川にいった。

「では、やります」湯川は腕時計を一瞥した後、ノートパソコンを操作した。

鈍い破裂音が聞こえた。その直後、ガラスの割れる音がした。

完了、と湯川がいった。

大道や草薙が湯川と共に出ていったので、薫も彼等に続いた。

湯川は真っ先に、豚肉を包んだ布を拾い上げた。台から落ちていたのだ。布をほどき、薫たちのほうに出した。「これを見てくれ」

薫は目を見張った。分厚い豚肉に、鋭い刃物で刺したような穴が開いている。その穴は裏側に達していた。

「刀で刺したみたいだ」草薙が薫の思いを代弁してくれた。「刃物はどこへ消えた」

「あっちだろう」湯川が土嚢のほうを指した。

やがて土嚢を調べていた鑑識課員の一人が、そこから何かを拾い上げた。「ありました」

それはすぐに湯川のところへ届けられた。

「見事だ」彼は受け取るなり、そう呟いた。

草薙が目を丸くした。

「あのハート形の金属板が、こうなったのか。信じられんな」

薫も同感だった。それはまさしく刀の先端だった。研ぎ澄ました、というほどではないが、力を入れれば肉を刺すぐらいのことは出来そうなほどには鋭い。

さらによく見ると、その内部は空洞になっている。

「どういうことなんだ。素人にもわかるように説明してくれ」草薙がいった。

説明には警視庁にある小さな会議室が使われることになった。間宮や鑑識の責任者も同席している。

「通常、爆薬を爆発させた場合、その力は球状に広がります。四方八方、といったほうがわかりやすいかもしれません。しかし爆薬に様々な処置を施すことで、その方向を制限することが可能です。たとえば爆薬の塊に円錐状の窪みを作ってやりますと、爆発のエネルギーは、その窪みの前方に集中します。これをモンロー効果といいます。そのほかにも、爆薬を非常に薄いプレート状にしたり、二種類以上の爆薬を層状にするなどして、爆発エネルギーの半分以上を希望の方向に集中させることが出来ます。そのような処置を施した爆薬を金属板などで覆ってやると、爆発エネルギーの反作用として金属板は吹き飛ばされます。同時に、金属板は変形します。ここで重要なのは、その変形具合を制御することも可能だということです。仮に円形の金属板の中央を窪ませておくと、爆発のエネルギーは最初に中心部に到達します。結果として、円の中心部が先に飛び出し、中心から遠い部分ほど飛び出すのが遅れることになります」

湯川は懐からハンカチを取り出した。横にいた薫に、「これを両手で、ぴんと張るように持ってくれ」といった。

彼女がいわれたようにすると、湯川は人差し指でハンカチの中央を押した。

「このように、先端部が尖った状態に変形するわけです。この形状から予想されるように、こうして飛び出す金属の塊には、極めて大きな貫通力があります。実際、これを利用した武器があり、自己鍛造弾などと呼ばれています。もちろん平和的な利用方法もあり、この原理を使って金属を成形する方法を爆発成形あるいは爆発加工といいます」

湯川は、そばに置いた鞄から一冊のファイルを取り出した。薫には見覚えのあるものだった。

「これは友永幸正氏が約二十年前に書いた論文です。タイトルは、『爆発成形における金属の流体的挙動の解析』です。友永氏は、爆発によって金属がどのように変形するかを、膨大な実験によって明らかにしていったのです。爆薬の種類、量、形状、金属板の材質、形状、サイズ——無数といっていい組み合わせを一つ一つ試していき、ついにはほぼ完璧にシミュレーションすることに成功しました。あの先生……友永氏にかかれば、金属を望みの形状に変形させることが出来ます。その見事な技術に敬意を払い、我々は彼のことを『メタルの魔術師』などと呼んでいました」

彼はファイルを開き、ある頁を皆に見せた。

「ここにそのシミュレーション・プログラムが載っています。今回、僕はこのプログラムにしたがって、形状を日本刀の先端に酷似させる条件を割りだしました。先程の実験は、それに基づいたものです。結果については、草薙刑事や内海刑事、それから鑑識の皆さんが御覧になった通りです」

そこまで話すと、精気をすべて吐き出したように、湯川はパイプ椅子に腰を落とした。

「なるほどねえ」間宮は変形した金属片を指先で弄んだ。「その装置は、簡単にセットできるんですか。位置を決めるのが難しそうですが」

「おっしゃる通りです。事件当日の昼間、友永氏は離れ家を訪ねています。数分間ですが、一人きりになった時があります。その時にセッティングしたのだと思います。おそらく、装置は書物に見せかけてあったと思います。また、セッティングの際に重要なのは高さと角度ですが、友永氏は専用の位置決め道具を持っていました」

「道具？」

「ステッキです。把手が伸びるように改造されているのですが、被害者の胴体に当たる位置を決めるには、通常の長さでは足りないからだと思われます。また把手にはレーザーポインタが付いています。発射された金属片の飛ぶ位置を決めるために使ったのでしょう」

間宮は頭を振った。理解できないのではなく、湯川の慧眼に舌を巻いているのだろう。

「しかし、離れたところから操作するわけでしょう？　被害者に当たるかどうかはわからんのじゃないですか」

すると草薙が横からいった。「だから立たせるんです。軌道上に」

「どうやって？」

「電話を使うんです。NTTには電話を使った記録は残っていませんが、あの家には母屋と離れ家を繋ぐ内線電話がありました。電話をかけて、窓際に立つように仕向けるんです」

「窓際に立てというのか？　そんなことをいって怪しまれないか」

「その言い方だと怪しまれるでしょうね。だから、たとえばこんなふうにいうんです。おまえの大切なカヌーを運び出そうとしているやつがいるぞ、と。友永幸正は、事前に被害者に対し、町内会の人間がカヌーの撤去を望んでいるという話を吹き込んでいます。しかし我々が調べたところでは、そんな事実はありませんでした。おそらく、この電話をかけるための伏線だったと思われます。被害者は自分のカヌーを見ようと窓に近づくでしょう。友永の部屋からだと離れ家の窓はよく見えます。被害者が立ったことを確認して、起爆装置のスイッチを入れればいいんです」

立て板に水の口調でしゃべった後、草薙は湯川のほうを見て、にやりと笑った。見事な推理だが、残念ながら草薙が考えたことではない。

間宮は唸った。

「解剖に当たった医師から話は聞いたか」

「聞きました」薫が答えた。「そういう先端形状の刃物が貫通した可能性は大いにある、ということでした。そんなことが可能なら、という但し書き付きですが」

間宮は腕組みをした。

「決まりだな。あとは証拠か」

「窓ガラスを突き破った凶器を見つければいいんです」草薙がいった。「たぶん池の底でしょうけど」

「浚《さら》わせよう」間宮は机を叩いて立ち上がった。

皆が部屋を出ていくので、薫も後に続こうとした。だがふと気になって後ろを見た。湯川はまだ座っていた。じっとファイルを見つめている。

「湯川先生」彼女は声をかけた。顔を上げた彼に訊いた。「これでいいんですね？」

「もちろんだ。何か問題でも？」

いいえ、と首を振り、薫は部屋を出た。外で草薙が待っていた。

「あいつは真の科学者だ。だから、科学を殺人に使う人間のことは許せないんだよ。たとえ恩人であっても」

薫は黙って頷いた。

14

湯川が薫に連絡してきたのは、友永幸正が逮捕されてから四日目のことだった。友永に会わせてもらえないか、というのだった。

現在、友永の身柄は所轄の留置場にある。ほぼ全面自供に達しており、間もなく送検される見通しだった。

薫は間宮に相談した。いいだろう、というのが上司の回答だった。そのことを湯川に伝えると、「ありがとう」と短く答えて彼は電話を切った。

彼が来るのを待つ間、薫は落ち着かなかった。あの物理学者は、一体何をしたいのだろう。単に、かつての恩師に別れを告げるだけだろうか。

池の底から凶器の金属片が見つかるまで、丸三日かかった。発見されたものは、実験で湯川が作りだしたものと酷似していた。金属片を分析したところ、友永邦宏とＤＮＡが一致する肉片が付着していた。

金属片を見せると、友永は即座に犯行を認めた。湯川に自首を勧められた時とはうって変わって、全く反論しなかった。池を浚っていることは知っていただろうから、すでに覚悟を決めていたのだろうと間宮たちはいった。

犯行の動機は、「財産をあんな男に食い潰されるのが耐えられなかったから」というものだった。

「考えてもみてください。息子とはいえ、赤ん坊の時以来、一度も会ってないんです。

そんな男に、大切な財産を使われたらたまりません。こっちは、まだ何年も生きるつもりです。そのために頼りになるのは金だけです。出ていってくれと何度頼んでもだめだし、もはやほかに手がなかったんです」友永は、取り調べに当たった草薙に、落ち着いた口調でいった。

当日、教え子たちを招いたのは、アリバイ工作のためだという。

「私と奈美恵しかいなかったら、どっちかがやったんじゃないかと疑われるでしょう? それで彼等を呼んでおいたんです。うまくいったと思ったんですがね。あの男を呼んだのは失敗でした。湯川です。古いことを覚えていたものだ。私の研究のことなんか、すっかり忘れていると思ってたんですがね」

彼から自首を勧められた時にはどう思ったか、と薫は訊いてみた。友永は、ふっと笑みを漏らしてこういった。

「いくらでも言い逃れは出来ると思ってましたよ。しかし、内線電話を使ったことや、ステッキの仕掛けに気づいていたとは予想外でした。全く厄介な男です」

その厄介な男が現れたのは、正午を過ぎて間もなくの頃だった。湯川は、友永邸で会った時とは違うスーツを着ていた。

「先生の具合はどうかな」薫を見るなり、まずそう訊いてきた。

「体調はよさそうです。今はもう、それほど長い時間の取り調べはしていませんから」

薫と湯川が取調室で待っていると、婦人警官に付き添われて友永が現れた。松葉杖をついている。廊下で車椅子から降りたのだろう。

友永は薄笑いを浮かべながら椅子に座った。それを見て湯川も椅子を引いた。それまで、じっと立っていたのだ。

「どうした、その不景気な顔は」友永はいった。「してやったりという気分じゃないのかね。見事に推理を組み立て、実証してみせた。科学者として満足だろ？　もっとうれしそうな顔をしたらどうだ。それとも、せっかく自首を勧めてやったのに、と憤りを感じているのかね」

湯川は深呼吸をしてから口を開いた。

「先生、どうして僕たちをもっと信用してくださらなかったのです」

友永の顔が怪訝そうに曇った。「どういう意味だ」

「内海君、この人がここでどんな供述をしたのかは知らないが、それは真実ではない。少なくとも、動機は全く違う」

「何をいいだすんだ」

「先生、あなたはこうなることを承知で……いや、こうなることを希望して事件を起こしたんですね」

友永の顔が強張るのがわかった。

「馬鹿なことをいうな。どこの世界に、わざと捕まりたくて人を殺す人間がいる」

「ところがいるんです。僕の目の前に」

「そんなはずないだろう。変なことをいうな」

「湯川先生、どういうことですか」薫は訊いた。

「刑事さん、聞かなくていい。こんな男の話なんか無視すればいい」

「あなたは黙っててください」薫はいった。「黙らないのなら、出ていってもらいます。――湯川先生、話してください」

湯川が唾を呑み込む気配があった。

「僕が解せなかったのは、例のステッキを先生が見せてくれたことです。あのステッキの仕掛けを知らなければ、装置の位置決めをどうやったのかという謎が解けなかったはずです。でもあのステッキを見ていたおかげで、すんなりと推理を進めることが出来ました。それで思ったんです。先生は自首を考えてるのではないか、と。だけどその決心がつかないので、僕に背中を押してほしいのではないか、と」

横で聞いていて、薫は合点がいった。だからあの時湯川は、自首するつもりじゃないのか、と友永にいったのだ。

「先生が逮捕された後も、ずっとそのことを考えていました。それで、ふと思ったんです。僕は全くの考え違いをしていたんじゃないか、とね。じつはすべてが計算通りで、この結末こそが先生の目的だったと考えれば、何もかも筋が通るんです」

「どんなふうにですか」薫は訊いた。

「今回の逮捕で、どういう結果が残ったかを考えてみたんだ」湯川は薫にいってから、改めて恩師のほうを向いた。「奈美恵さんは悲しんでいます。育ての父が逮捕されたのですから当然です。でも彼女は、車椅子の老人を介護する生活から解放されました。それによって、同様に介護が必要な親を抱える紺野さんと結婚することが可能になりました。また、邦宏さんがいなくなったことで、あなたが全財産を彼女に譲ることに何の障害もなくなりました。今度の事件は、あなた自身のためではない、すべて奈美恵さんの幸せを確保するために起こされたんです」

驚くべき話に、薫は一瞬言葉を失った。息を整えてから友永に訊いた。「そうなんですか」

友永は青ざめていた。目を見張り、小刻みに身体を揺らしていた。

「馬鹿な……そんなはず、ないじゃないですか。そんなまわりくどいこと……」

薫は、はっとして湯川を見た。

「そうですよ。息子を殺して捕まるのが目的なら、あんなまわりくどい方法を使わなくてもよかったんじゃないですか」

すると湯川はかすかに笑みを浮かべた。

「ふつうの人ならそうだ。刃物か何かで刺し殺せばいい。首を絞めてもいい。でもこの人には、そんなことはできない。若い男を殺そうと思えば、この人は得意技を使うしかない。『メタルの魔術師』の出番だ。ところがこの魔術を使うと、一つだけ大きな問題が生じる。警察に殺害方法がわからない可能性がある、という問題だ」

あっ、と薫は声を漏らした。

「爆薬の影響で、現場には火災が発生する。被害者を窓に立たせる以上、肝心の凶器はどうしても池に飛び込んでしまう。『メタルの魔術師』の存在を知らない警察は、被害者が刃物で刺されたと思い込むだろう。そうなれば完全犯罪だが、それでは目的を果たせない。そこで、魔術を知っていて、尚かつ警察にパイプのある人間を呼び寄せることにした」

「湯川先生を……」

湯川は、ゆっくりと頷いた。

「ステッキを僕に見せたのは、謎を解かせるためだ。友永先生、あなたは金属を操る名人でしたが、人を操ることにかけても魔術師です。僕は、見事に操られました」湯川は大きく息を吐き出し、薫を見た。「僕の話は、以上だ」

「だけど、それなら自首すればいいんじゃないですか。自首しても逮捕されます」

「もちろんそうだろうが、自首すれば情状酌量されるおそれがある」

薫は息を吞んだ。彼のいいたいことがわかった。

「ふつう被疑者は情状酌量を望むものだ。ところが今回は違う。この被疑者は、なるべく刑期が延びることを望んでいる。出来れば、刑務所で死を迎えたいとさえ思っている。だから自首は出来ない。計画殺人を実行し、証拠を突きつけられたので仕方なく自供――そういうストーリーが不可欠だった」

友永は項垂れていた。無念さの中に、どこか安堵した気配が漂っている。

「先生が、どうして奈美恵さんを養女にしなかったのだと思う？」湯川が訊いてきた。

わからなかったので薫は首を振った。

「それはね、そんなことをしたら介護が彼女の義務になってしまうからなんだ。先生は、彼女から介護されながら、何とかして彼女を解放してやりたいと願ってたんだよ。でもね先生、僕には彼女が先生の世話を苦痛に感じていたとは、どうしても思えないんです」

それから湯川は一旦俯き、意を決したように再び顔を上げた。

「奈美恵さんと話をしてきました。彼女は僕に、被害者とのことを打ち明けてくれました」

ぎょっとしたように友永は目を剝いた。「まさか……」

「もしかしたら父は、あのことを知っているのかもしれない、と彼女はいいました。あのこととは何か、察していただけると幸いです。僕も本当は口にしたくありません」

そこまで聞いて、薫は直感したことがあった。思わず口を開いていた。

「もしかすると奈美恵さんと被害者の間に肉体関係が……」

「もちろん、合意の上でのことじゃない」湯川はいった。「でも彼女は黙っていた。先生を傷つけたくなかったからだ。出ていくこともしなかった。先生の介護をしなければならないと思ったからだ」

友永の顔に苦悶の色が広がってきた。頰の肉がぴくぴくと痙攣していた。

「それに先生」湯川は続けた。「先生には彼女しかいないわけじゃない。僕たちだっているじゃないですか。だから最初にいったんです。どうして、僕たちを信用してくれなかったのか、と」

友永が顔を上げた。その目は赤く充血していた。

その時、ドアが開き、草薙が入ってきた。彼は湯川の耳元で何事か囁いた。

「入ってもらってくれ」湯川は小声で答えた。

間もなく入ってきたのは三人の男だった。事情聴取にいったことがあるので薫も名前を知っている。安田、井村、岡部――あの日に集まった友永の教え子たちだ。

君たち、と友永は呟いた。

「僕が呼んだんです」湯川はいった。「おそらく僕は証言台に立つことになるでしょう。

僕は、今の話を法廷でするつもりです。そして情状酌量を訴えます。先生が何を願っていようと、一日でも早く刑務所から出られるように努力します。そのかわり、その責任は僕たちが取ります。刑期を終えたら、僕たちを頼ってください。お願いします」

湯川と共に、ほかの三人も立ったまま頭を下げた。

友永は右手を目に当てた。身体が揺れている。嗚咽《おえつ》が漏れた。

参ったな、と彼は口元を緩めた。

「この結末は予想外だ。やられた。いやあ、参った」

右手を離すと、彼の目元は涙でぐしゃぐしゃになっていた。

「君は変わったな。昔は科学にしか興味がなかったはずなのに、一体いつの間に、人の心がわかるようになった」

湯川は微笑した。

「人の心も科学です。とてつもなく奥深い」

友永は教え子をじっと見つめ、頷いた。

「その通りだな」そして白髪頭を下げた。「ありがとう」

第三章

密室る

とじる

1

踏切の警告音が遠くで聞こえた。つまり、列車が近づいているということだ。藤村伸一はライトバンの運転席に座ったまま、腕時計を確認した。午後二時八分を指していた。時刻表通りだった。列車は二時九分に到着、十分に出発ということになっている。

彼は車を駅前のロータリーに停めていた。視線を駅舎の出入口に向けている。コンクリートの壁に罅《ひび》が何本も入っている古い駅舎だ。

間もなく、そこから一人の男が出てきた。長身で姿勢がいい。学生時代と変わらず、無駄な肉のない引き締まった身体つきだということは、コートを羽織っていてもよくわかる。

藤村はライトバンから降り、男に駆け寄った。湯川、と呼びかけた。

湯川学は彼のほうを向き、金縁眼鏡の奥の目を細めた。やあ、と応えてきた。

「久しぶりだな。元気そうで何よりだ」湯川はそういった後、藤村の身体を眺めた。

藤村は顔をしかめた。

「元気そうだが、身体が丸くなった、とかいいたいんだろ。草薙にいわれたよ。湯川に会ったら、きっと体形のことをいわれるぞって」

「そんなことはいわない。歳を取って身体に変化が出るのはお互い様だ」

「おまえは殆ど変わってないじゃないか」

「いや、ここが少し」湯川は自分の頭を指した。「白いものがちらほらと」

「たっぷりあるんだから、白髪ぐらいは我慢しろ」

藤村は湯川をライトバンまで案内した。彼が助手席に乗り込むのを待って、エンジンをかけた。

「さすがにこっちは、十一月ともなると、かなり寒いな。雪も降ったようだし」湯川が外を見ながらいった。道路の端に雪の塊がある。

「五日ほど前に降ったんだ。今年は例年より寒いようだ。東京とは大違いさ。東京にいた頃は、十一月なんて、まだ薄着だったもんな」

「こっちの生活には、もうすっかり慣れたのか」

「どうかな。何しろ、これから二度目の冬を迎えるわけだからな」

「ペンション経営のほうは？」

「うん。まあ、何とかやっている」

藤村の運転するライトバンは、細い坂道を延々と上っていった。舗装はしてあるが、道幅はさほど広くない。小さな商店が並ぶ集落があったが、そこも抜けていく。

「ずいぶんと上るんだな」助手席で湯川が意外そうな声を漏らした。

「もう少しだ。辛抱してくれ」

藤村はさらに車を進ませた。カーブが続く。やがて道幅が少し広くなった場所に出た。彼は車をガードレールに寄せて停めた。

「ここは？」湯川が訊く。

「ペンションは、もう少し先なんだ。でも、ちょっと降りてくれないか」

湯川は戸惑いを見せたが、すぐに頷いた。「わかった」

ガードレールの下は峡谷になっていた。川の流れる音が聞こえる。下までは、約三十メートルというところだ。川には大小様々な岩が並んでいる。

「なかなかの迫力だな」下を覗き込み、湯川がいった。

「例の事件だが」藤村は唇を舐めた。「この場所で起きたんだ」

湯川は振り返った。その顔に驚きの色はなかった。ここで降りてくれといわれた時に、見当がついていたのだろう。

「ここから落ちたということか」

「そうだ」

「ふうん」湯川は再びガードレールの下を覗き込んだ。「この高さじゃ、ひとたまりもないだろうな」

「おそらく即死だっただろう、という話だ」

だろうね、と湯川は頷いた。

「とりあえず、この場所を見ておいてもらおうと思ってね。参考になるかどうかはわからんが」

藤村の言葉に、湯川は当惑したように首を傾げた。

「電話でいったけど、僕は警察関係者じゃない。探偵でもない。いろいろな事件を解決したように想像しているのかもしれないが、僕は草薙たちにアドバイスしただけだ。物理学者という立場からね。それ以上のものを期待されても困る」

「草薙は、湯川に相談しろといったぜ」

湯川は吐息をつき、呆れたように首を横に振った。

「全く無責任な男だ。自らの厄介事を僕のところへ持ち込むだけじゃ飽きたらず、君からの相談事を回してくるとはね」

「あいつは警視庁の人間だ。他府県の事件には口出しできないんだろ。それに、奴は俺の話を聞いた上で、そういうことなら湯川が適任だといったんだ。そういう謎については、とね」

「謎……ねえ」湯川は眉間に皺を寄せ、やや訝《いぶか》しむように藤村を見つめた。「密室の謎、ということだったな」

「そう、密室だ」藤村は真顔で答え、頷いた。


再び湯川をライトバンに乗せ、走り始めた。百メートルほど進んだところで脇道に入り、さらに五十メートルほど上る。間もなく前方に、ログハウス風の建物が見えてきた。藤村は玄関前のスペースに車を停めた。

「格好いい別荘だな」車から降りるなり、湯川は建物を見上げていった。

「別荘じゃないよ」藤村は笑った。

「そうだった。失礼」

「別荘として売りに出ていた物件であることは事実だけどな」

藤村は、湯川のほうに手をさしのべた。彼が提げている大きなバッグを受け取るためだった。友人とはいえ、泊まり客の荷物を持つのは宿主として当然のことだ。しかし湯川は、結構、と辞退した。彼のほうには客だという意識がないのだろう。

車が停まるのが見えたらしく、玄関が開いて久仁子が現れた。ジーンズにセーターという出で立ちだ。彼女は湯川を見上げ、笑顔で小さく会釈した。

「女房だ。久仁子っていうんだ」藤村はいった。

湯川は大きく首を上下させた。

「草薙たちから聞いている。藤村は、すごく若くて美人の奥さんを貰ったってね。噂は本当だったな」

藤村は顔の前で手を振った。

「やめてくれ。こいつはすぐに図に乗るんだ。若い若いというけど、こいつだってもうすぐ三十路だ。ほかの連中の奥さんたちと大して変わらない」

「ちょっと待ってよ。もうすぐといっても、あと三年あるんですからね」久仁子が顎を小さく突き上げた。

「三年なんて、すぐさ」

「いや、三年は大きい」湯川が強い口調でいった。「二十代の奥さんか。素晴らしい」

「そういうおまえだって、もっと若いのを狙ってるんじゃないのか。草薙からいろいろと聞いたぜ」

「草薙が一体何を？」湯川は眉をひそめた。

「まあまあ、そういう話は後だ」

藤村は湯川を屋内に招き入れた。玄関から廊下が延びている。一番手前のドアを開けたところが食堂を兼ねたラウンジになっている。カウンター席もあり、その奥が厨房だ。丸太を使ったテーブルが中央に置いてある。藤村は湯川と向き合うように座った。久仁子がコーヒーを入れてくれた。

「おいしいコーヒーだ」一口啜った後、湯川は満足そうな笑みを浮かべた。「こういう場所で生活するのも、なかなか悪くないんだろうな」

「向き不向きはあるだろうな。でも俺には合ってる。東京の空気は、俺には息苦しい。顧客と商談しているより、ここで泊まり客と話しているほうが生き甲斐を感じられる」

「自分に向いた人生を見つけられたのなら、それが一番だ。一番幸福なことだ」

「おまえにそういってもらえると心強い」

「ただ気になるのは、収入面だな。正直いって、どの程度の収益が得られるものなのか、僕には見当もつかない。君の実家は資産家だから、そういうことは心配しなくていいのかもしれないけど」

藤村は苦笑した。この男は相変わらず歯に衣着せない物言いをする。

「おまえの想像通りだ。大した儲けはない。夏と冬は多少忙しいが、それ以外となると、週末にひと組かふた組の客が来る程度だ。そもそも初めから、これで儲けようとは思ってないからな」

「羨ましい生き方だ」

「本気でそう思ってるのか。じゃあ訊くけど、おまえにできるか？　朝早く起きて、泊まり客のために朝食を作り、その後は片づけをして、部屋を掃除し、食材の買い出しに行き、時にはトレッキングの案内をしたり、カヌーの段取りを整える。もちろん夜は夕食を作る。冬場には客をスキー場まで運んでやる。屋根の雪下ろしだって必要だ。どうだ、やりたいか」

「もちろん僕はやりたくない。でも君は、そういう生活がしたかったんだろ？　一流商社マンという肩書きを捨ててまでも。その夢を実現できたことに対して羨ましいといってるんだ」

「まあ、そういう意味では、たしかに俺は恵まれてるよ」

藤村の父親は、先祖伝来の土地をうまく使い、財を成した人物だった。息子に残してくれたいくつかのマンションは、今も確実な収入をもたらしてくれる。それがなければ、こんな道楽のような商売は続けられなかっただろう。

「今日の泊まり客は？」湯川が訊いた。

「おまえだけだ」

「そうか。じゃあ、早速部屋に案内してもらおうかな」湯川はカップを置き、腰を上げた。

「そのことだが、本当にあの部屋でいいのか。泊まるのは別の部屋にしたほうがいいんじゃないのか」

するとと湯川は何でもないことのように首を振った。

「どうして別の部屋にするんだ？　何も問題はない」

「おまえがそういうなら、構わないけど」

「案内してくれ」

わかった、といって藤村も立ち上がった。部屋を出る時、カウンターテーブルの向こうにいる久仁子と目が合った。彼女は不安そうに瞬きした。彼は小さく頷きかけた。

廊下の一番奥まで進むと、正面にドアがある。そこを開ける時、藤村はかすかな抵抗感を抱いた。あの事件以来、いつもそうだ。

部屋は六畳ほどで、シングルベッドが二つ置いてある。ほかには小さな机と椅子があるだけだ。南側に窓がついている。

湯川はコートとバッグをベッドに置き、窓に近づいた。

「ごくふつうのクレセント錠だな」

「何も異状はないだろ？」

「そう見える」

湯川は錠を外し、窓を開閉した後、再び施錠した。それから今度はドアに近づいた。鍵はふつうのシリンダー錠で、ドアチェーンが付いている。

「このドアチェーンも、かけられていたわけだな」

「そういうことだ」

ふむ、と頷き、湯川はベッドに腰かけた。腕組みをして、藤村を見上げてきた。

「じゃあ、詳しく聞かせてもらおうか。その奇妙な密室事件について」

2

「事件が起きたのは、今からちょうど十日前だ。夕方の五時頃、その客はやってきた。名前はAさんとしておこうか。アルファベットのAだ」

湯川は手帳を取り出しながら首を振った。

「実名を出してくれ。そのほうがわかりやすい。僕が新聞記事で調べたところでは、被害者の名前は原口清武。年齢は四十五歳で、職業は団体職員だったはずだ」

藤村は肩をすくめ、もう一方のベッドに腰を下ろした。

「それならすべて実名で話そう。今もいったように、原口氏がやってきたのは午後五時頃だ。宿泊の手続きをした後、彼にはこの部屋に入ってもらった。部屋は二階にもあるが、予約の時から一階が希望だったからだ」

「その理由は？」

「知らない。予約を受けたのは久仁子だ。それに理由を訊く必要はないだろ」

「それもそうかな。話を続けてくれ」

「その日はほかに、二組の客がいた。男性一人と、父親と息子の二人連れだ。夕食は六時から八時の間に、先程のラウンジで食べてもらうことになっているが、八時近くになっても原口氏が現れない。そこで気になって、部屋まで様子を見に来た。するとドアには鍵がかかっている。眠っているのかと思い、ノックしてみた。しかし返事がない。少し大きな声で呼びかけたが、やはり何の応答もなかった。今度はちょっと心配になり、マスターキーで鍵を開けることにした。するとドアチェーンがかかっている。つまり原口氏は室内にいることになるわけだ。じゃあ、どうして呼びかけに返事がないのか。もしかしたら室内で倒れてるんじゃないかと不安になってきた。それで一旦外に出て、建物の南側に回った。窓から室内の様子が見えるかもしれないと思ったからだ」

「すると窓にも鍵がかかっていた？」

湯川の問いに藤村は頷いた。

「その通り。電気は消えているし、カーテンが引かれてて、中の様子は見えなかった。そこで俺はラウンジに戻り、もう少し待ってみることにした。ところが原口氏は一向に現れない。我慢しきれなくなって、もう一度部屋へ行った。声をかけても返事がないのは同じだ。さっきと同じようにマスターキーでドアを開けてみた。すると今度は人の気配がした。寝返りをうつような音だ。そこで俺は安心して、ラウンジに戻った。夕食は八時までということになっているが、固いことをいうつもりはない。原口氏が起きてくるまで待っていようと思った。ところが九時前になって、外へ花火をしに出た父子連れが戻ってきて、原口氏の部屋の窓が開いているというんだ。あわてて見に行ったら、たしかにその通りだ。この窓が開いていて、原口氏もいなくなっていた」藤村は窓に目を向けた。

「室内に変わった様子は？」

「特に気づいたことはなかった。小さな旅行鞄は床に置いたままだった。常識的に考えて、原口氏は窓から部屋を出て、どこかへ行ったとしか思えない。そこで付近を探し回ったんだが、何しろこの山奥だから、周囲は真っ暗だ。一時間ほど待っても原口氏が戻らないので、結局警察に連絡することにした。警察は、夜明けと共に動いてくれたよ。で、さっきの場所に転落している原口氏を見つけたというわけだ」

「ふうん。警察では、どのように判断したのかな。新聞には、事故か自殺の可能性が高いようなことが書かれていたけど」

「詳しい情報は俺のところなんかには入ってこないからよくわからんのだけど、どうやら自殺の公算が大きいと判断されたらしい。原口氏は、かなりの借金を抱えていたそうだ。こんなところへ一人旅に来たこと自体がおかしいし、予約時に一階を希望したのも、窓から抜け出すことを決めていたからだとみられている」

「警察では、何らかの事件に巻き込まれたとは考えなかったのかな」

「全く考えなかったわけじゃないだろうが、可能性は低いと判断したんだと思う。何者かが原口氏を殺すために、誰にも見つからないようにこんな山奥まで来て、殺した後は誰にも見つからないように立ち去る——あり得ないと思うね」

「この周りに別荘はいくつかあるのかい」

「あることはあるけれど、どれも大抵は無人だ。管理会社の人間が時折やってくるだけだ。事件が起きた日もそうだった」

「人がいたのは、この宿だけだったということか」

「そういうこと。そしてほかの泊まり客は、我々とずっと一緒にいた。だから他殺は考えなくていいんだ」

「なるほど」湯川は手帳に書き込んだものを眺めた後、首を捻った。「もう一つ質問していいかな。肝心なことだ」

「どうぞ」

「今の話を聞いたかぎりだと、どこが不思議なのかさっぱりわからない。たしかにこの部屋は一時的に密室だったらしいが、それは中に人がいたからで、不思議でも何でもない。その人物が窓から出ていって、何らかの理由で谷底に落ちた——それだけのことじゃないのか」

藤村は唸った。湯川の言い分はもっともだった。警察も同様の判断を下したのだ。

「どうも気になるんだよ」

「何がだい」

「二度目に部屋を見に来た時、中に人がいたのはたしかだ。だけど、最初にこの部屋を見に来た時、ここに誰かがいたとは思えないんだ」

「どうして？」

「暖房が入ってなかった」

「暖房？」

「あの日は、特に冷え込みが厳しかった。ベッドで横になるにしても、ふつうなら誰だって暖房を入れたくなる。ところが最初に俺がドアを開けた時、中からは冷たい空気が流れてきた。エアコンは動いてなかった。だけど二度目に開けた時には、たしかに暖房は入っていた。俺は、最初に調べた時には、ここには誰もいなかったんじゃないかと思う」

湯川は藤村の顔を見つめた後、眼鏡の中央部分を指先で押し上げた。

「そのことを警察には……」

「話してない」

「どうして？」

「説明がつけられないからだ。この部屋が内側からロックされていたことは、俺自身が証言している。それなのに中に人はいなかったように思うなんていったら、頭がおかしいと思われるだろ」

「そんなことはないだろうが、何かを錯覚していると解釈されるのがオチだろうな。下手をすると、君の証言すべてが信用されなくなる」

「だろ？　それは不本意だ。だから今の状況では、警察に話すわけにはいかないんだ」

「それで草薙に相談したというわけか。それじゃあ、彼が僕に押しつけてくるのも無理ないな。密室殺人でさえ、自分では考えようとしない男だ。殺人事件じゃなく、しかも密室だったかどうかもわからない問題に取り組む気なんかないだろうな」

「面倒なことを頼んでいるのはわかっている。しかしほかに相談できる人間がいなくてな。考えないでおこうかとも思ったんだが、どうにも気になって仕方がない。単なる気のせいかもしれないんだが」

湯川は薄く笑い、手帳を閉じた。

「わかった。のんびりと山の景色を楽しみながら考えてみるよ。このところ論文の仕上げに追われていて、リフレッシュしたいと思っていたし」

「そういってくれると助かる。ほかに客もいないことだし、好きなように振る舞ってくれ。ただ、申し訳ないが温泉はない。その代わり、腕に縒《よ》りをかけた料理を楽しんでもらうつもりだ」藤村は立ち上がった。「それから、一つだけ頼みがある」

「何だ」

「俺がこんな相談をしたことは、久仁子には内緒にしておいてほしい。おまえがここに来たのは、俺が脱サラしたと聞き、心配になって様子を見に来ただけってことにしてある」

湯川は一瞬釈然としないような表情を見せたが、すぐに頷いた。

「君がそのほうがいいというなら、僕はそれで構わない」

「すまん。よろしく頼む」藤村は顔の前で手刀を切った。

3

湯川を部屋に残し、藤村はラウンジに戻った。エプロンを付けた久仁子が、厨房から出てきた。

「湯川さん、本当にあの部屋でよかったの?」

「聞いてただろ、あいつが希望したんだよ。一階のほうが落ち着くんだってさ。もちろん、先日の事件のことは話してある。あいつは根っからの科学者だから、自殺した人間が泊まった部屋だろうが何だろうが、全く気にならないらしい。でも、こっちとしても助かるよ。あの部屋を、今後ずっと使わないわけにはいかないからな」

「それはそうだけど」久仁子はエプロンの裾を指でいじった。「バドミントン部の友達だったのよね」

「大学のね。あいつはうちのエースだった」

「最近は、あまり会ってなかったんでしょう？　どうして急に、こんなところに来てくれる気になったのかな」

「だからそれは話しただろ。ほかの仲間から俺のことを聞いたらしい。ちょうど仕事も一段落していたから、リフレッシュのついでに俺の経営ぶりを偵察しに来たってことだ」

「ふうん……親切な人なんだね」

「好奇心が強いんだ。とにかくそんなに気を遣う必要はない。それより、うちの料理で驚かしてやろう。どうせ素人料理だとたかをくくってるに違いないからな」

久仁子は微笑み、頷いた。その視線が藤村の後方に向けられた。彼が振り返ると、湯川が入り口に立っていた。山歩き用の防寒具に着替えている。

「周辺を散歩してくる」

「道案内は？」

「とりあえず一人で行ってみる」

「そうか。でも日没までには戻ってくれよ。街灯なんてものはないんだからな」

「そんなことはわかっている」湯川は久仁子に一礼した後、玄関に向かった。

「俺は買い出しに行ってくるよ」藤村は久仁子にいった。「ワインが足りない。あいつはなかなかの酒豪なんだ」

「あの店、高級ワインなんて置いてたかな」

「高級である必要はない。蘊蓄《うんちく》はたれるが、じつは味音痴だ」藤村は上着を羽織り、車のキーを手にした。


藤村は車で山を下り、いつも食材を調達するスーパーマーケットで買い物を済ませた後、真っ直ぐにペンションに戻った。両手にビニール袋を提げてラウンジに入っていくと、湯川がカウンター席でコーヒーを飲んでいた。俯いて洗い物をしていた久仁子が顔を上げた。何となく浮かない表情に見えた。

おかえり、と湯川が声をかけてきた。

「山歩きはどうだった」藤村は訊いた。

「なかなか気持ちがよかった。空気の香りが違う。こういう場所に永住したいという気持ちも理解できる」

「おまえさえよければ、一週間でも二週間でも滞在してくれて結構だ」

「そうしたいところだが、研究が僕を待っている」湯川はコーヒーを飲み干し、カップをテーブルに置いた。ごちそうさまでした、と久仁子に声をかけ、ラウンジを出ていった。

「湯川とは、どんな話を？」藤村は久仁子に訊いた。

「事件のことを訊かれたんだけど」彼女の声はわずかに尖っていた。

頬がひきつるのを藤村は感じた。

「どんなふうに？」

「あの日のことを根掘り葉掘り。どんな客が泊まったかってことも」

「ほかの客のことも話したのか」

「だって嘘をつくわけにはいかないでしょ。ねえ、どうしてあの人は事件のことを訊くわけ？　あなたが何かいったの？」

「何もいってないよ。いっただろ、あいつは好奇心が強いって。だから事件のことを知って、興味を持っただけだと思う」

「本当にそれだけかな」

「それ以外に何があるというんだ。気にしなくていい」藤村は笑顔を作り、提げていたビニール袋をカウンターテーブルに置いた。「ワインとオードブルの材料になりそうなものを買ってきた」

「御苦労様」久仁子は唇を緩め、ビニール袋を持って、厨房に消えた。

藤村は上着を脱ぎ、廊下に出た。奥の部屋まで進み、ノックをした。はい、と返事が聞こえ、ドアが開いた。湯川が立っていた。

「久仁子に事件のことを質問しただろ」部屋に足を踏み入れながら藤村はいった。

「いけなかったか。密室について君から相談を受けたことはいってないが」

「どうして彼女に訊くんだ。わからないことがあれば、俺にいってくればいいじゃないか」

「君は出かけていたからね。それに、なるべく多くの人間から話を聞いたほうが、客観的な情報が得られる。一人の話だけでは、勘違いや思い込みの入る余地がある」

「それにしても、ほかの客のことまで訊く必要はないんじゃないか。俺が調べてほしいのは、内側から施錠した状態で、この部屋を出入りする方法があるかどうかってことだ。つまり単なる物理的トリックの話なんだから、誰が泊まってたかなんてことは気にしなくていいんだよ」

するとと湯川は怪訝そうに眉根を寄せ、窓際に立って藤村のほうを見た。

「君は草薙から僕のことをどんなふうに聞いて、今度のことを相談しようと思ったんだ？」

「どんなふうって……専門知識を駆使して不可解な謎を解く天才だと奴はいってた」

「専門知識か。たしかに物理の知識が必要なケースは多い。だけどそれだけで解ける謎なんて殆どない。自然現象ならともかく、人間が生み出した謎を解くには、やっぱり人間のことを知っておく必要がある。事件の夜に、どういう人間がここにいたのかということは、僕にとって極めて重大なことだ」

「宿泊客は、事件とは関係のない登場人物だ」

「関係があるかないか、それを決めるのは君じゃない」湯川は冷徹にいい放った。「それに君は正確なことを話さなかった」

「そうかな」

「宿泊客が、ほかに二組いたといった。男性一人と親子連れだ。だけど正確には違う。親子連れは客だったが、一人で来ていた男性は君たちの身内だ。奥さんの弟さんだったそうじゃないか。名前は祐介さんというらしいね」

藤村は顔を歪《ゆが》め、ため息をついた。

「それが何か問題か。身内だろうが何だろうが、うちに泊まりにきていた客であることに変わりはないじゃないか」

「そんなことはない。経営者の身内が泊まっていたというのは、情報として決して小さくはない」

「義弟は事件と関係ないよ。それは俺が保証する」

「それを決めるのは君じゃないといっただろ」

「いいか。あの日義弟が来た時、すでに原口氏は部屋に入っていた。その後、義弟は俺たちと一緒にいた。原口氏の死体が見つかるまでだ。どう考えても無関係だ」

「その話も貴重な情報として記憶に留めておこう。とにかく僕に隠し事はしないでくれ。密室の謎を解いてほしいのならね」

湯川は、じっと見据えるように鋭い視線を送ってくる。藤村は顔をそらした。

「隠し事をする気はない。それなら最初からおまえに相談したりしない。ただ、久仁子に尋ねるのは遠慮してくれないか。うちの宿泊客が奇妙な死に方をしたってことで、かなりショックを受けてるんだ」

「その点は配慮しよう」

「頼むよ」藤村は湯川の顔を見ずに部屋を出た。

4

六時から夕食が始まった。藤村と久仁子は、この日のために準備しておいた料理を、次々とテーブルに運んだ。イタリアンをベースにした野菜料理が中心だ。藤村も久仁子も、味には自信があった。

「野菜の煮物が、こんなにワインに合う料理に仕上がるとは驚きだな」湯川がグラスを傾けながらいった。

「だろ？　日本人は、やっぱり野菜だよ」

「藤村の名コックぶりにも感心した。昔からこんなに料理がうまかったっけ」

「独り暮らしが長かったから、趣味で料理を始めたんだ」

「そうだったか。そういえば、お二人の馴れ初めを聞いてなかったな」湯川が藤村と久仁子とを見比べた。

「大した出会いじゃない。彼女は上野の飲み屋で働いていた。その店に俺が行った。それだけのことだ」

「御実家も東京で？」

「ええ……いえ」久仁子は一旦目を伏せてから、改めて湯川のほうを見た。「八王子で育ちました。八王子の施設で弟と二人で」

　あっ、と小さく声を漏らした後、湯川はにっこり笑って頷いた。「そうでしたか」

「家が土砂崩れに遭って、両親を亡くしたんだそうだ。久仁子たちは両親とは別の部屋で寝ていたから助かったらしい」

「それは……お気の毒でしたね」

「天災ですから仕方がありません。それより、湯川さんは結婚されないんですか」久仁子が訊いた。多少打ち解けた表情になっている。

「なかなか縁がなくて」湯川は白い歯を見せる。

「こいつは昔からよくいっていた。早く結婚して後悔している人間と、遅く結婚して後悔している人間では、どちらのほうが多いかってね。しかしなあ湯川、もうそんなことをいってる場合じゃないぞ。今すぐ結婚しても、立派に晩婚組だ」

「そういわれても相手がいないんだから仕方がない。それに最近では、結婚して後悔している人間と結婚しないで後悔している人間ではどちらが多いか、という命題も気になり始めている」

「だめだ、こりゃ」

藤村が思わず口にした言葉に、久仁子や湯川も声を出して笑った。

その後も大学時代の思い出話などで、場は大いに盛り上がった。アルコールのせいで藤村も饒舌になっていた。

和やかな空気が張りつめたのは、湯川が久仁子の弟について彼女に尋ねた時だった。どこで何をしているのか、と訊いたのだ。

「祐介は、去年から、この町の観光協会で働いています」久仁子はいった。笑顔が、ややぎごちなくなっていた。

「東京は物価が高いし、アルバイト暮らしをしていても将来の展望が見えないから、いっそのことこっちに来ないかと誘ってみたんだ。幸い、仕事を世話してくれる人がいてさ」

「それはよかった。観光協会ではどんな仕事を？」

「今度新たに美術館ができるんだそうで、その準備をしているとかいってました」

「画期的な美術館だといってたなあ」藤村がいった。「展示品の数は国内屈指で、そのくせスペースは通常の三分の一以下になるんだそうだ。一体どうするつもりなのかな。しかもセキュリティは万全だとも」

「うまくいくといいな。観光の目玉ができれば、このペンションも繁盛するだろうし」

「そこまでは期待してないさ」藤村は苦笑を浮かべた。

夕食後、藤村たちが食器を片づけていると、湯川はラウンジの隅に置いてあるノートを読み始めた。宿泊客が感想などを自由に綴ったものだ。

「何か面白いことでも書いてあるのか」藤村は近づいていった。

「例の事件があったのは十一月十日だな。この長沢幸大《こうだい》君というのは、親子連れの息子のほうかな」湯川が広げたノートを差し出してきた。

藤村はノートを見た。そこには次のように書いてあった。

『とても楽しかったです。ごはんもすごくおいしかったです。おフロもきれいで、お湯に入ったらからだに細かいアワがいっぱいついて気持ちよかったです。またきます。長沢幸大』

藤村は頷いた。

「そうだ。たしか、小学校四年だといってたな。しっかりした子だったよ」

「父親の職業は？　親子は何をするために、ここに泊まったんだ？」

矢継ぎ早な質問に、藤村は思わずうんざりとした表情を作った。

「父親の職業なんて知らない。たぶんふつうの会社員だと思う。親子がここに来たのは、渓流釣りをするためだ。なあ湯川、そんなことまで訊いて、一体何の意味があるんだ」

「意味があるかどうかはわからない。訊きたいことがあるなら自分に訊いてくれといったのは君のほうだ」

「それはそうだけど……」

「ちょっと付き合ってくれないか。外に出たい」

「こんな時間にか」藤村は目を丸くした。

「今、ちょうど八時だ。君が原口氏の部屋を見に行ったのが、これぐらいの時刻だろ？同じ状況で確認したい」

「わかった。付き合うよ」

二人で玄関に向かった。藤村は懐中電灯を手にし、ドアを開けて外に出た。湯川も後からついてきた。

「奥さんから聞いたんだが、部屋が密室状態だったことを確認したのは、君一人ではないそうだね」湯川がいった。

「義弟と一緒に見に行った。こんなふうにね」

「どうして祐介さんも一緒だったんだ」

「大した理由はない。俺も一緒に行くと祐介がいったから、付き合ってもらっただけだ」

「ふうん」

「いちいち細かいことを気にするんだな」

「それでなければ研究者は務まらない」

建物の南側に回った。湯川の泊まっている部屋から明かりは漏れていなかった。おかげで懐中電灯がなければ、歩くのも困難だ。

「事件の夜も、こういう状況だったわけか」湯川がいった。

「そうだ」

「で、懐中電灯でクレセント錠を確認したんだな」

「ああ。こんなふうにしてな」藤村は懐中電灯で窓ガラスの内側を照らした。あの夜と同じように、クレセント錠が浮かび上がった。今も施錠されている。

「念のために訊くんだが、本当に施錠されていたか。見間違えたってことはないか」湯川が訊いてきた。

藤村は首を振った。

「あり得ない。俺と義弟の二人で確認したんだ」

「そうか」

「気が済んだか」

「状況については了解した」

「じゃあ、中に入ろう。さすがに身体が冷えてきた」

屋内に戻り、藤村は玄関のドアに鍵をかけた。その間、湯川は懐中電灯を触っていた。

「それがどうかしたのか。何の変哲もない懐中電灯だけど」

「窓の鍵を見に行った時、懐中電灯はどちらが持っていた？　君か、それとも義弟《おとうと》さんか」

「義弟だけど……それがどうかしたのか」

「いや、何でもない。一応、訊いてみただけだ」湯川は懐中電灯を元の位置に戻した。

「風呂は、おまえの部屋に行く途中にある。十一時までに入ってもらえると助かる。単なる家庭風呂で申し訳ないが」

「それは構わないが」湯川は考え込む顔つきになった。「事件の夜、宿泊客はいつ風呂に入ったんだろう？　さっきのノートによれば、長沢幸大君は入浴したようだが」

「それが何か問題か」

「昼間、君は僕にこういった。宿泊客は全員、自分たちとずっと一緒にいた。だから他殺については考えなくていい。違ったかな」

「たしかにそういったが……」

「風呂の中まで覗いたわけじゃないだろ？　風呂の窓から抜け出すことは可能だ」

「ちょっと待てよ」

「君のいいたいことはわかっている。ただ僕は正確な情報を知りたいだけなんだ」

藤村は天井を見上げ、頭を振った。

「悪かったよ、湯川。わざわざこんなところまで来てもらって、本当に申し訳なかった。謝るから、この話は忘れてくれないか」

湯川が困惑したように瞬きした。「どういうことだ」

「俺がどうかしていた。あれは密室でも何でもなかったのだと思う。おまえといろいろ話していて、だんだんとそういう気になってきた。だから、もういいんだ」

「やっぱり部屋の中には人がいた、というのか」

「そういうことだと思う。すまん。時間を無駄に使わせた」藤村は頭を下げた。

「君がそれで納得できるのなら、僕はいいんだが」

「納得できる。どうかしていた」

「そうか。でも、最後の質問には答えてほしい。宿泊客は、いつ風呂に入ったんだ」

湯川の質問に、藤村は自分の顔つきが険しくなるのを自覚した。

「だからそれはもういいといってるだろ」

「個人的な興味から訊いている。それとも、答えられない事情でもあるのかい」

藤村は深呼吸をした。

「警察から何度も訊かれたから、あの夜のことはよく覚えている。原口氏の部屋に鍵がかかってるのを確認した後、まず義弟が風呂に入った。ただし、せいぜい十分程度だ。義弟の後、長沢親子が入った。彼等は三十分ぐらい入ってたと思うけど、ずっと風呂場から声が聞こえていた。俺と久仁子は、客のいる夜は入浴しない。朝方にシャワーを浴びるだけだ。参考までにいっておくと、ここから原口氏が落ちた現場までだと往復で二十分はかかる。これで納得してもらえたかな」

湯川は、指先で宙に何かを書くしぐさをした。

「今の話に間違いはないかい？」

「間違いない。警察にも同じように話したんだ」

「わかった。じゃあ僕は、ゆっくりと風呂に浸からせてもらうよ」そういって湯川は廊下を歩き始めた。

5

　翌朝、湯川は用意された朝食を淡々と済ませると、午前九時には出発の支度をしてラウンジに現れた。宿泊料はいらないと藤村がいったが、彼は笑いながら財布を出してきた。

「久しぶりにのんびりできたし、おいしい食事にもありつけた。満足して払うんだから、受け取ってほしい。もちろん正規の料金を」

　藤村は肩をすくめた。この男の頑固さは学生時代から知っていた。

　来た時と同じように、ライトバンで駅まで送った。

「本当に今回は申し訳なかった」湯川が降りる前に藤村はいった。

「謝ってもらう必要なんかない。近いうちに、また来させてもらうよ」

「是非そうしてくれ」

　湯川は車から降り、駅舎に向かって歩いていった。彼の姿が消えるのを確認し、藤村は車を発進させた。

　その夜のことだった。

　藤村たちが夕食を摂っていると、祐介から電話がかかってきた。

「湯川さんという人が、ゆうべそっちに泊まったでしょ」祐介の声は明るかった。

「どうしてそのことを？」

「今日、湯川さんがうちの事務所にやってきたんだ。最初は面食らった。帝都大の先生が、何の用だろうと思ってね。義兄《にい》さんの同級生だと聞いて、ようやく納得した」

「あいつ、祐介君に会いに行ったのか」

「というより、美術館について知りたい様子だった。それで俺が説明したんだ。下手くそな説明だったけど、理解してもらえたみたいだ。さすがに物理学の先生だ」

「ほかにはどんな話を？」

「大した話はしてない。がんばってくれって励まされた」

「そうか」

「近いうちに、また来るっていってた。その時には俺にも声をかけてくれないかな。もう一度話をしたいしさ」

「わかった。必ず連絡する」

電話を切った後、横で不安な顔をしていた久仁子に、祐介とのやりとりを話した。ごまかしたところで、どうせばれると思ったからだ。

「湯川さん、どうして祐介のところへなんか行くわけ？」彼女は一層表情を曇らせた。

「電車の都合で時間が余ったんじゃないか。大したことは話してないと祐介君もいってた」

「ふうん」久仁子は頷いたが、浮かない顔つきは変わらなかった。

食事を終え、後片づけしている間も、久仁子は口数が少なく、物思いにふけるようにしばしば手を止めた。藤村は妻のそんな様子に気づきながらも、見て見ぬふりをしていた。

片づけを終えると、彼は棚からウィスキーの瓶を出した。

「寝酒に一杯どうだ？」意識的に明るい声で訊いた。

「うん……今夜はやめておく」久仁子は小さく首を振った。

「珍しいな。酒を飲まないと寝付きが悪いっていつもいってるくせに」

「今日は結構疲れてるから、すぐに眠れると思う。あなた、ゆっくりしてて」

「わかった。じゃあ、おやすみ」

「おやすみなさい」

久仁子が出ていった後、藤村は厨房からグラスと氷を持ってきて、ウィスキーをロックで飲み始めた。グラスを動かすと、からからと氷が鳴った。その音は、藤村の思いを三年前に跳躍させた。久仁子と出会った頃だ。

そのクラブでは彼女は目立つ存在ではなかった。話しかけられればそつなく受け答えをするが、自分から場を盛り上げるのは得意ではなさそうだった。そのかわり、雰囲気に溶け込めずにいる客に対する目配りには素晴らしいものがあった。接待以外ではその手の店には行かない藤村が個人的に通うようになったのも、彼女がいたからだった。

店の外で会うようになってから、二人の仲は急速に進展した。三度目の肉体関係があった後、彼はプロポーズした。

断られるわけがないと思っていたが、久仁子の返事は芳しいものではなかった。彼女の回答は、今時の若い女性から発せられたとは思えないものだった。

不釣り合いだ、というのだ。

「あたしみたいな女に、そんなこといっちゃだめだよ。あたしと藤村さんじゃ、身分が違いすぎる。あたし、今のままでいいから。時々会えれば、それでいいから」

その時初めて、彼女は自分の境遇について語り始めた。それまで彼女は、「平凡な家に生まれ育ったが、最近立て続けに両親を亡くした」と話していたのだ。

もちろん藤村は納得できなかった。育った境遇などどうでもいいし、そもそも身分の違いなど存在しないと主張した。

しかし久仁子の意思は固かった。結婚したら藤村が不幸になる、とまでいうのだった。

そんな彼女の態度を変えさせたのは、「東京を離れ、山で一緒にペンションを経営したい」という藤村の提案だった。結婚については全く無関心な様子だった彼女が、初めて、「そういうのなら素敵かも」といったのだ。

周囲の反対を無視し、藤村はペンション経営に踏み切った。元々、アウトドア派だったので、コネクションは多く、話はとんとん拍子に進んだ。

結婚を躊躇っていた久仁子も、ついに首を縦に振った。山で暮らすようになって二年、彼女が不満を漏らしたことは一度もない。一生ここにいたい、といっている。

祐介を呼んだのも正解だったと藤村は思っている。祐介は彼のことを本当の兄のように慕ってくれる。酒に酔うたびに、「義兄さんは恩人だ。俺たちの命の恩人だ」と繰り返すほどだった。

何もかもが順調だったのに――藤村はグラスをテーブルに置いた。溶けた氷が、からん、と音をたてた。

6

湯川から携帯電話に連絡があった時、藤村は周辺の草抜きをしている最中だった。着信表示を見て、不吉な風が胸中を通りすぎるのを感じた。

今夜、行ってもいいか、と湯川は訊いてきた。

「それはいいけど、一体どうしたんだ」

「じつは君に見せたいものがある」

「何だ」

「百聞は一見にしかずというだろ。電話で説明するのは難しい」

「気になる言い方だな。じゃあ、俺のほうが出向くよ。それでもいいだろ」

「いや、それには及ばない。僕がそっちに行く。そうしないと意味がない」

「どういうことなんだ」

「だから、百聞は一見にしかず、だよ。七時頃に伺う。話が済んだら、すぐに退散するから、食事の心配はしてくれなくて結構。送り迎えも不要だ。では後ほど」

ちょっと待て、といいかけたが、電話は一方的に切られた。

湯川からの電話以後、何も手につかなくなった。藤村はラウンジで時計を睨んでいた。伝票の整理をするつもりだったが、一向にはかどらない。

七時を五分ほど過ぎた頃、車のエンジン音が聞こえた。藤村が外に出てみると、タクシーが止まるところだった。コート姿の湯川が降りてきた。タクシーは、その場でエンジンを切った。どうやら、待たせておくらしい。

「急にすまなかった」湯川はいった。

「おまえの考えてることはさっぱりわからんよ」

「そうかい？　おそらく察しがついてるんじゃないかと思ってたんだけどな」

「どういう意味だ」

「まあ、中に入って話そう」湯川は玄関に向かった。

ラウンジに入ると、藤村はコーヒーを入れた。

「奥さんは？」湯川が訊いた。

「出かけている。九時頃までは戻らないはずだ」

じつは久仁子には湯川が来ることは話していない。用をいいつけて、二人が顔を合わせないように仕組んだのだ。

「そうか。――トイレを借りていいかな」

「どうぞ」

藤村はコーヒーを二つのカップに注ぎ、テーブルに運んだ。その時、カウンターに置いたままになっていた携帯電話が鳴った。着信表示を見ると、湯川からだった。

「僕だ」

「わかってるよ。トイレで何をやっている」

「トイレじゃない。例の部屋に来てくれ」

「はあ？」

「待っている」そういうなり湯川は電話を切った。

藤村はラウンジを出て、首を傾げながら廊下を歩いた。奥の部屋のドアをノックしてみるが返事がない。ドアノブを回すと、鍵はかかっていなかった。そのかわり、ドアチェーンがかけられている。

どきり、とした。あの時と同じだ。

湯川、と声をかけた。しかし何の応答もない。

はっとして藤村は踵を返した。玄関に行き、懐中電灯を手にして外へ飛び出した。そのまま足早に建物の裏に回った。

懐中電灯で窓を照らした。クレセント錠が浮かび上がる。しっかりと施錠されたままだ。

「あの時も、こういうことだったんだろ?」背後から声が聞こえた。

藤村は振り返った。湯川が穏やかな笑みを浮かべて立っていた。

「どうやって出たんだ?」

「簡単なトリックだ。でもそれを明かす前に、君の話を聞きたい。君の正直な気持ちを」

「俺がどういう嘘をついてるっていうんだ」

「嘘はついてないかもしれないけど、隠し事はしてるだろ?」

藤村はかぶりを振った。

「何のことか、さっぱりわからんな」

すると湯川は弱ったように眉間に皺を寄せた。肩を落とし、吐息をついた。

「仕方がない。じゃあ、僕の推理を話そう。何か反論があるなら、その後でいってくれ」

「いいだろう。聞かせてもらおう」

「まず指摘しておきたいのは、君の態度は最初から不自然だったということだ。ふつうに考えれば密室でも何でもないのに、敢えて密室の可能性があることを主張して、僕に推理させようとした。たしかに、人間の直感というのは馬鹿にできない。内側からロックされているのに中に人がいる気配を感じなかったのなら、君としては気味が悪いだろう。でもそれで誰かが困っているわけでもない。わざわざ昔の友人を呼び出してまで解決すべき問題ではないと思う。だけど君は拘《こだわ》っている。それはなぜか。そこで僕はこう考えた。もしかしたら君には、部屋が密室だったというはっきりとした根拠があるのではないか、とね。ただしその根拠を人に話すわけにはいかなかった。違うかい？」

いきなり返答を求められ、藤村は狼狽した。声を出そうとして、まず空咳をした。口の中がからからに渇いていた。

「いいたいことはあるが、後にとっておこう。話を続けてくれ」

湯川は頷き、口を開いた。

「君が密室だと考える根拠は何か。それがわからないまま、とりあえず僕はトリックを考えることにした。ところがここでまた君の不可解さにぶつかった。僕に密室トリックを解いてほしいといっておきながら、事件の詳細については隠そうとする。そこで僕はピンときた。事件には裏がある。たぶん単純な自殺や事故じゃない。つまり他殺だ。そのことに君は気づいている。しかしそれを警察に話すわけにはいかなかった。その理由については見当がついているが、敢えて僕の口からいうのはやめておこう」

「そこまでしゃべっておいて、遠慮することはないだろ」藤村はいった。「身内から犯人を出したくなかったから、といいたいわけだろ」

「それが最も妥当な答えだとは思う」湯川は続けた。「原口氏は、祐介君が殺したんだね」

7

「いきなり話が飛躍したな」藤村はいった。声が震えた。

「そうかな。少なくとも君は、そう考えているはずだ」

「俺の頭の中が見えるのか」

「そうでなければ、君の言動が説明できない。君は何らかの理由で、祐介君が犯人ではないかと疑った。しかし問題がある。祐介君にアリバイがあることは君自身が一番よく知っている。彼がこの宿に到着した時、原口氏の部屋はすでに密室状態だったわけだからね。その後、祐介君は、入浴中の十分間を除いて、ずっと誰かと一緒にいた。警察はその証言を信じて、事件性はないと判断したわけだが、肝心の君自身が引っかかっていた。そこで僕に相談したというわけだ。しかし君には誤算があった。物理的なトリックを解くのだから、事件の詳細など僕には話す必要がないと思っていた。ところが僕があれこれと奥さんに尋ね、祐介君のことにまで触れたものだから、君はあわてた。密室の謎はもう解かなくていいといいだした。下手をすれば、僕に何もかも暴かれると思ったんだろうな」

藤村は自分の鼓動が速くなっているのを感じた。

「あの話はどうなる？　二度目に部屋を見に行った時には、中で人の気配がしたと話したはずだが」

「あれは君の作り話だ。仮に僕が密室トリックを暴いたとしても、他殺の可能性は否定されるように布石を打っておいたわけだ。そうだろ？」

藤村は湯川の端正な顔を見つめた。旧友の物理学者は、憎らしいほどに落ち着き払っていた。

「おまえが想像力豊かだってことはよくわかった。じゃあ、そろそろ謎解きをしてくれないか。もったいつけてないでさ」

「ここまでの推理に反論はないのか」

「山ほどあって、整理しきれないんだよ。とにかくおまえの話を全部聞いてからだ」

わかった、といって湯川は窓に近づいた。

「事件当日原口氏は、一旦部屋に入った後、窓から抜け出した。おそらく誰かと待ち合わせをしていたんだろう。窓から出たのは、相手の指示だった可能性が高い。密会をほかの人間に気づかれたくないから、とでもいえばいい。待ち合わせ場所は、おそらくあの転落現場だろう。犯人が先に行って待ち伏せしていたか、後から行って不意をついたかは不明だが、油断していた原口氏を後ろから突き落とすのは難しくなかっただろうと思う」

「ちょっと待て。じゃあ犯人は――」藤村は唾を呑み込んでから続けた。「祐介は、ここへ来る前に原口氏を殺してきたというのか」

「それしか考えられない。その後、彼はここへ来て、窓から部屋に入った。ドアの鍵、ドアチェーンをかけ、ある細工をした後で窓から出た」

「ある細工？」

「大したことじゃない。事前に用意しておいた写真をクレセント錠の上に貼り付けておくだけのことだ」

「写真？」

「クレセント錠がかけられているように見えるが、あれは写真だ」

「馬鹿をいうな」藤村は懐中電灯で窓のクレセント錠を照らした。光を動かせば、クレセント錠の影も動く。「あれのどこが写真だ」

「じゃあ、窓を開けて確かめてみろよ」

「そんなことをいったって、錠がかかってるんだから――」そういいながら窓を横に動かしたところ、それは何の抵抗もなく開いた。唖然としたまま、藤村は再びクレセント錠を照らした。それは依然として施錠された状態を示している。

どういうことだ、といいかけた時、彼は自分が見ているものの正体に気づいた。写真なのだ。彼が実物のクレセント錠だと思っていたものは、それよりも一回り大きな写真だった。ただしふつうの写真ではない。

「ホログラムだ」湯川がいった。「映像を三次元で記録できる、いわゆる立体写真だ。見たことないか」

藤村は写真を剝がし、懐中電灯の光を様々な角度から当てた。当て方によっては、画像がぼやけたり、色が変化したりする。

「こんなもの、どこで……」

「今日、大学の実験室で作った。ホログラムにはいろいろあるが、それはリップマンホログラムという方式を使った。通常のホログラムだとレーザー光を当てないと再現できないが、これだと懐中電灯のような光でも、鮮やかな立体画像が見られる」

「祐介も、これと同じものを作ったというのか」

「彼なら、もっと苦労せずに作れたと思う。何しろ、設備は揃っているからね」

「どういう意味だ」

「美術館の話をしてくれただろ。展示品の数は国内屈指だけどスペースは通常の三分の一以下。しかもセキュリティは万全という話だった。それを聞いた時、ホログラムを使うんじゃないかと思った。貴重な美術品などをホログラムにして展示するという方式が、最近になって注目されているからね。写真なんだからスペースは必要ない。しかも盗まれる心配もない。実物と見分けがつかないんだから、客が不満を持つこともない。いいことずくめだ。そこで祐介君に会って、詳しいことを訊いてみたんだ。彼は丁寧に教えてくれた。じつに気持ちのいい若者だった。僕が密室の謎を解こうとしているなんてことは、夢にも思わなかっただろうな。そう考えると心が痛むけど」

藤村は改めて手元のホログラムを見つめた。写真だとわかっていながらも、そこにクレセント錠があるように錯覚してしまう。

「より鮮明に再現するためには、いくつかの条件がある。大事なことは、余分な光がないってことだ。真っ暗な中、懐中電灯で照らすというのは理想的だ。また光を当てる角度も重要だ。だから懐中電灯は祐介君が持った」

「……そういうことか」

「窓が開かなかったのは、レールにつっかい棒か何かを嵌めてあったからだと思う。これで密室のからくりは完成だ」

「だけど、その後でこの窓が開いてるのが見つかってるんだ。それは一体……」そういいながら藤村は自分で答えを見つけだしていた。「祐介が風呂に入ってたという十分間か」

「風呂の窓から出て、窓のつっかい棒を外し、ホログラムを回収する。十分あればおつりがくるだろうな。ただし湯船に浸かっている時間はなかったから、シャワーを浴びただけで出た」

「どうしてそこまでわかる？」

「あの夜泊まっていた長沢幸大君が、ノートにこんなふうに書いていただろ。風呂に入ったら細かい泡が身体にいっぱいついて気持ちよかった、と。水には空気が溶け込んでいるんだが、その量は水の温度が低いほど多い。今の時期の水は冷たいから、空気が大量に溶け込んでいるわけだ。その水を沸かすと、溶けていた空気が泡となって出てこようとする。これを過飽和という。風呂に入った時、身体に細かい気泡がいっぱいつくのは、それまで辛うじて溶けていた空気が、刺激されて一気に出てくるからだ。ノートの書き込みを見た時には何とも思わなかったが、後から君の話を聞いて、変だと思った。長沢幸大君よりも先に祐介君が入浴していたのなら、すでに過飽和の状態は終わっていて、そんなに泡が出ることはないはずだからだ」

淡々と語る湯川の声を聞きながら、藤村は口元を緩めていた。自分を嘲《あざけ》る笑いだった。この男に密室の謎だけを解かせようとしたのは大間違いだったと思い知った。

「反論は？」湯川が尋ねてきた。

藤村は首を振った。その動きさえ億劫《おっくう》なほど心も身体も重くなっている。

「参ったよ。完璧だ。ここまで解き明かされるとは思わなかった」

「いっておくけど僕は証拠を何ひとつ持ってない。単なる空想と切り捨てることも可能だ」

「いや、おそらくおまえの推理は当たっている。これで確信した。俺はあの二人に自首を勧めるよ」

「二人……奥さんと祐介君か」

藤村は頷いた。

「二人が電話で相談してるのを立ち聞きしちまったんだよ。といっても俺が耳にしたのは、『ハラグチがここへ来るっていうんだ。どうしよう』っていう久仁子の言葉だけなんだがね。でもそれだけで俺には、どういうことか事情が呑み込めた。ハラグチという久仁子の昔の客が、よからぬことを目的に来るんだなとわかった」

「昔の客というと、上野の飲み屋の客かい？」

「そうじゃない。久仁子は若い頃、複数の男と付き合って金を貰っていた。単刀直入にいえば身体を売っていた。身寄りのない若い女が、幼い弟を養っていかなきゃいけないんだ。手段を選んでいる場合でなかったことは容易に想像できる。昔の客とは、その頃の客という意味だ。もっとも久仁子は、俺はそのことを知らないと思っている」

「君はどうして知ってるんだ」

「どこの世界にもお節介な人間はいる。久仁子のホステス仲間が、こっそり教えてくれたんだ。何人かの男が久仁子につきまとっているという話も、そのホステスから聞いた」

「もしかすると君が脱サラして東京を離れたのは……」

「久仁子は俺に迷惑がかかるのを恐れて結婚に踏みきれないでいた。だから東京を離れれば安心するだろうと思ったんだ。まあ、ペンション経営は昔からの夢でもあったんだけどさ」

湯川は表情を沈ませ、俯いた。

「原口が部屋から消えたまま戻らないとわかった時、俺は二人が奴を殺したんだと直感した。警察に話そうかとも思ったけど、どうしてもできなかった。二人には自首してほしかった。それに俺の中にも、二人を疑いきれない部分があった」

「それが密室」

「そうだ。祐介のアリバイを支えるのは密室で、俺自身が証人になっている。この事実をどう捉えればいいか、正直、悩んだ。でもこれですっきりした。迷いはなくなった。あの二人が犯人だ」

「どうして彼等はそんなことをしたんだろう」

「たぶん久仁子が原口に脅迫されたんだと思う。昔のことをばらされたくなければ金を寄越せっていう具合にね。原口に多額の借金があったことは話しただろ。もしかするとこれまでにも何度か強請《ゆす》られていたのかもしれない」

湯川は辛そうに顔をしかめた。

「ありそうなことだな。殺人の動機は理解できる」

「それでも、人殺しはやっぱりだめだ」藤村はきっぱりといった。「二人には、そういうふうに話す。きちんと刑期を終えるまで待っている、ともいってやるつもりだ」

湯川は唇を真っ直ぐに閉じ、顎を引いた。それから腕時計を見た。

「僕はそろそろ行くよ」

「そうか……」

二人でタクシーのところまで戻った。後部座席に乗り込んだ湯川が、窓越しに見上げてきた。

「また来るよ。草薙でも誘って」

「男二人か。色気がないな」

「草薙の部下に、気の強い女性刑事がいる。声をかけてみよう」

「それは楽しみだ」

じゃあ、といって湯川は窓を閉めた。

タクシーが去るのを、藤村は見送った。テールランプが闇に消えるのを確認し、家に入った。

厨房に行き、棚から赤ワインのボトルを取り出した。久仁子が好きな銘柄だ。トレイにボトルと二つのグラスを載せ、ラウンジに戻った。ソムリエナイフで丁寧にコルクを抜き、グラスの一方にワインを注いだ。

その時、車のエンジン音が聞こえた。久仁子の運転するライトバンが戻ってきたのだ。

藤村は、もう一方のグラスにもワインを注いだ。

第四章

指標す《しめす》

1

電話がかかってきた時から、堀部浩介の用件が何なのかは大体察しがついていた。だから先に答えを出しておく手もあったが、葉月《はづき》はとりあえず我慢することにした。まるっきりの早とちりなら自分が馬鹿みたいだと思ったし、それ以前に、仮定の問いかけに対しては、「あれ」がまともに答えを出してくれるようには思えなかったからだ。

堀部が指定してきたのは、駅のそばにあるファーストフード店だった。話をするだけなら公園のベンチでだっていいじゃないかと思ったが、葉月のほうからそんなことはいえない。四時に会うという約束をして、電話を切った。

彼女は四時五分前に駅前に行った。待ち合わせのファーストフード店がよく見えるコンビニに入り、雑誌を立ち読みするふりをしながら様子を窺った。

間もなく堀部浩介が現れた。ひょろりとした長身で、姿勢はあまりよくない。だがやや疲れたような足取りで歩く姿が、葉月は好きだった。ふだんはだらけたふうに見えても、試合となれば芯が入ったように力強い動きをする——そういうギャップに惹かれるのかもしれない。堀部は葉月よりも一年先輩でサッカー部に所属していた。彼女はマネージャーをしている。堀部のほうはつい先日、中学の卒業式を迎えた。

彼が店に入ってから五分ほど待って、葉月はコンビニを出た。ファーストフード店に向かった。

堀部は窓際の席でアイスカフェオーレを飲んでいた。葉月が近づいていくと、はにかんだような笑みを見せた。

「何か飲まなくていいの？」彼女が腰掛けるのを見て、彼は訊いてきた。

「今、喉が渇いてないですから」

お金が勿体ないから、とはいえない。何も注文しなくていいように、わざと堀部よりも遅れて店に入ったのだ。

「急に呼び出して、ごめんな。予定あったんじゃねえの」

「大丈夫です。堀部さん、毎日何やってるんですか」

「それがさあ、何もやってねえんだ。こんなんじゃ、高校入ってからやべーなとは思ってんだけどさ」堀部はしゃべりながら前髪をいじる。緊張している時の癖だ。

サッカー部のことなどを、とりとめもなく話した。堀部は頻繁に唇を舐め、前髪を触る。受け答えしながらも、あまり話には集中していないのがわかる。

やがて意を決したように彼は背筋を伸ばし、葉月のほうを向いた。

「あのさ、今日呼び出したのは、ちょっと訊きたいことがあったからなんだけどさ」時折目をそらしながら続けた。「真瀬《ませ》、おまえ、付き合ってる彼氏とかいるわけ？」

予想した通りの質問だった。葉月は首を振った。いませんけど、と小声で答えた。堀部が安堵する気配が伝わってくる。

「じゃあさ、俺と付き合わねえ？」

ぶっきらぼうな言い方だったが、葉月の胸は熱くなった。心臓が高鳴り始めた。

「だめ？　ほかに好きなやつとかいるの？」

「そんなんじゃないです」

「じゃあ、オッケーしてくれる？」

葉月は深呼吸をした。上目遣いに彼を見つめた。

「今すぐに答えないとだめですか」

「そんなことないけど、どうして？　俺としちゃあ、早く答えがほしいんだけど」

「ちょっとだけ考えたいです。……だめですか」

「わかった。いつ、返事くれる？」

「すぐに電話します。たぶん今日中に」

「じゃあ、待ってる。期待しててていいよな」

葉月は微笑むしかない。だがその笑みがぎごちないものになっていることは、自分でもわかっている。

堀部と別れ、母と二人暮らしをしているアパートに戻った。鍵をあけ、中に入る。施錠をきちんとするのはいつもの習慣だ。

ダイニングキッチンのほかには和室が一つあるだけの狭い部屋だが、不満に思ったことはない。母の貴美子がどれだけの苦労をしているかを、葉月は誰よりもわかっている。

和室には折り畳み式の小机が置いてある。葉月はその前で正座すると、財布を手に取った。そこから出してきたのは、指先ほどの小さな水晶だ。先端が尖っていて、反対側には十センチほどの鎖が付いている。彼女はその鎖の端を指先でつまみ上げた。水晶がぶらさがる形になる。

心を静め、目を閉じた。尋ねてもいいですか――胸の内で呟く。

彼女はゆっくりと目を開けた。静止していた水晶の振り子が徐々に動きだす。その動きは次第に安定したものへと変わっていった。時計と反対方向の回転だ。彼女の場合、それはイエスという意味だ。

一旦振り子を止め、深呼吸した。水晶を見つめ、もう一度目を閉じた。今度の質問は、堀部浩介の申し出を受けるべきかどうか、だ。

水晶が動きだすのを指先で感じた後、彼女は目を開けた。その動きを見て、ため息をついた。

それから約五分後、彼女は堀部浩介の携帯電話にかけていた。

「もしもし、真瀬です。答えを出しました。堀部さんの気持ち、すっごく嬉しいです。でもあたし、受験とかもあるし、やっぱりやめておこうと思います。……ごめんなさい。もう決めたことだから。堀部さん、もてるから、またすぐにいい子が見つかると思います。……ごめんなさい。本当にだめなんです。それじゃあこれで」一方的にそういった後、彼女は電話を切った。

2

一方通行の細い道路を挟んで、古い木造住宅が建ち並んでいた。どの家にも昭和を感じさせる気配が漂っている。

そんな中に一軒だけ目立って大きな屋敷があった。門構えも立派で、塀の内側には植え込みが成されていた。

その門を鑑識課員たちが出入りしている。彼等の邪魔にならない場所に立ち、薫は手帳を開いた。彼女の前には草薙と岸谷がいる。草薙は携帯用の灰皿を手にし、煙草を吸っている。

「被害者はこの家に住む野平加世子さん、七十五歳です。一階にある和室で倒れているのを息子さんたちが発見しました。首に後ろから紐のようなもので絞められた痕がありました。現在までのところ凶器は見つかっていません。息子さんと奥さん、お孫さんの三人は、一週間前からハワイ旅行に出ていて、今日の夕方に帰ってこられたそうです」薫はメモを見ながら話した。「息子さんが最後に被害者と話をしたのは三日前の午前十時頃──これは日本時間です。その後、ホノルルを発つ直前に電話をかけたところ、繋がらなかったので心配していたということです。詳しいことはまだわかりませんが、遺体は少なくとも死後二日以上が経過していると思われます。家族の方に確認してもらったところ、荒らされているのは被害者が倒れていた和室だけで、ほかの部屋に犯人が入った形跡はないようです。和室にある簞笥と仏壇が物色されています」

「犯人は息子一家のハワイ旅行を知っていて、その隙を狙ったんですかね」岸谷が草薙にいった。

「その可能性は大きいな。ただプロの空き巣狙いなら、外からちょっと見ただけでも、家族が出払ってて、婆さんが一人で留守番をしている程度のことは見抜くかもしれない」

薫は先輩刑事の顔を見返した。

「流しの犯行だとすると、いくつか妙な点があります」

「なんだ」

「息子さん一家が帰ってきた時、玄関のドアには鍵がかかっていたそうです。窓やガラス戸などはすべて内側から施錠されていましたから、出口は玄関しかありません。つまり犯人が鍵をかけたということになります。実際、家の鍵がなくなっています。流しの犯行なら、そんなことをするより、一刻も早く逃げることを優先するのではないでしょうか」

「ふつうの犯人ならな。今回は例外かもしれないぜ。人を殺したものだから、少しでも発見を遅らせようとしたとは考えられないか」

「それはあり得ると思いますが、ほかにも奇妙な点が」

「あるのか。それならさっさと話せよ」

「簞笥と仏壇が物色されているといいましたが、簞笥から盗まれたのは、被害者名義の通帳と宝石、貴金属類です。ただし通帳の届出印は別のところに保管してあったので無事でした。で、ここからが重要なのですが、仏壇からは金の地金《じがね》十キロ分が盗まれています」

「何だって？」草薙が目を剝いた。「どうして仏壇にそんなものが入ってたんだ」

「息子さんの話では、被害者の旦那さんが遺したものだそうです。銀行だけに頼っていたら万一の時に大変だということで、財産の一部を金に替えたとか」

「十キロというと、いくらぐらいだ」草薙は岸谷に訊いた。

さあ、と岸谷は首を捻る。

「さっき調べました。グラム当たり三千円強ですから、十キロだと三千万円以上ということになります」

薫の回答に、ひゅうっ、と草薙は口を鳴らした。

「息子さんの話では、仏壇に入れてあったのは一キロの板十枚らしいです。しかも一見しただけではわからない隠し箱に入れてあったということです」

「隠し箱？」

「仏壇の引き出しの奥にあります。引き出しを取り除いて、奥の板をスライドさせれば確認できます。そういう引き出しが四つ付いていて、地金はそこに分けていれられていたそうです。それがすべて盗まれています。とても精巧にできた隠し箱で、知っている者でないと見抜けないと思います」

薫が話しているうちに、草薙の顔つきが変わっていった。口元に笑みが浮かんでいるが、目つきが逆に鋭くなっていた。

「なるほど。犯人は単なる顔見知りというより、被害者の財産管理のことまで知り得る立場の人間ってことか。こいつは面白いな」そういって彼は鼻の横を掻いた。

「もう一つ、不可解な点が」

薫の言葉に草薙は口元を曲げた。「まだあるのか」

「これは事件と関係があるのかどうかはまだ不明ですが、犬がいなくなっています」

「犬？」

「こちらのお宅では玄関先で犬を飼っておられるそうです。甲斐犬の血が混じった黒い犬で、見知らぬ人が門をくぐってきた時なんかは、かなり激しく吠えるらしいです。ところがその犬の姿が見えないんです」

薫は門から家の玄関のほうを覗き込んだ。ドアの手前に犬小屋が置かれている。屋根は青く、入り口には『クロの家』とマジックで書いてある。

「いつもはあの小屋に繋いであるということです」

3

犯行があったと思われる日の昼間に野平家を塀越しに覗き込んでいた女性がいた、という目撃情報が得られたのは、遺体発見の翌日だった。目撃者によれば、その女性は四十歳ぐらいでスーツを着ており、何かのセールスレディのように見えたらしい。

野平加世子の部屋からは、いくつかの保険証書類が見つかっていた。いずれも同じ代理店が扱っており、真瀬貴美子という女性が担当だと判明した。そこで貴美子の写真を入手し、目撃者に見せてみたところ、この女性に間違いないと断言した。

早速、薫と草薙が真瀬貴美子に会いに行くことになった。職場に問い合わせると、すでに帰宅したということだったので、自宅に向かった。

真瀬貴美子の住むアパートは、野平家から徒歩で十五分ほどのところにあった。間取りは1DKで、玄関のドアを開けると、手前のダイニングはもちろんのこと、奥の和室まですべて見通すことができた。その狭いダイニングで、テーブルを挟んで薫たちは貴美子と向き合った。

奥の部屋では中学生ぐらいの少女がテレビを見ていた。貴美子によれば、三年前に夫が他界しており、それ以来母娘二人暮らしらしい。

貴美子は整った顔立ちの痩せた女性だった。顔色の悪さを化粧でごまかしている気配はあったが、色香をまだ十分に漂わせていた。四十一歳という年齢ではあったが、この美貌に引かれて契約の判子を押す顧客もいるのではないかと薫は想像した。

貴美子は、野平加世子が死んだことを知らなかった。演技かもしれなかったが、ひどくショックを受けている様子だった。あまりよくない顔色が、一層青ざめたように見えた。目もみるみるうちに充血していった。これが演技ならすごいと薫は思ったが、実際にこの程度の芝居をこなした犯人が過去にいたことも忘れていなかった。

貴美子は、犯行があったと思われる日に野平家を訪れたことを認めた。野平加世子が加入している個人年金について説明しておくことがあったのだという。午後三時過ぎに家へ行き、四時頃に辞去したとのことだった。

「あなたが塀越しに野平さんのお宅を覗いていた、といっている人がいるんですが」

草薙の問いかけに、ああ、と貴美子は頷いた。

「事前に連絡していなかったものですから、野平さんがお宅にいらっしゃるかどうかを確かめようとしたんです」

「塀越しに？　在宅を確認するのなら、インターホンを鳴らせばいいだけだと思いますが」

「わかっています。あの日も結局はインターホンを鳴らしました。でもなるべくなら門に近づきたくなかったので、つい覗こうとしてしまったんです」

「どうして門に近づきたくなかったんですか？」

「それが、あの家にはクロという、すごくよく吠える犬がいるんです。門に近づいただけで吠えてくることもあります。じつは私は犬が苦手で、あちらのお宅に出入りする瞬間も決死の覚悟という感じなんです」

「ははあ、そういうことですか。あの日もクロは吠えましたか」

「それはもう」

「あなたがお帰りになる時も？」

「ええ」貴美子は頷いた後、怪訝そうに草薙を見た。「あのう、クロがどうかしたんでしょうか」

草薙は薫のほうをちらりと見た後、再び貴美子に視線を戻した。

「事件以後、クロの行方がわからなくなっているんです」

「えっ、そうなんですか」貴美子は目を丸くした。

「何か心当たりはありませんか。今のところ、クロを見たのは、あなたが一番最後なんです」

「そういわれましても……」貴美子は困ったように首を捻った。

「質問を変えます。野平さんのお宅にある仏壇は御覧になったことはありますか」

「ありますけど」

「あの仏壇に入れてあるものについて、何か相談されたことは？」

何のことをいわれているのか一瞬わからないような素振りを貴美子は見せた。だがこれもまた演技でないとはいいきれない。

「金のことですか」彼女はいった。

「そうです。やはり御存じでしたか。仏壇の秘密の隠し箱について」

「一度、見せてもらったことがあります。もしかして、あれが盗まれたんですか」

この質問に草薙は答えなかった。代わりに、「ほかに隠し箱のことを知っている人に心当たりはありませんか」と尋ねた。

さあ、と彼女は首を傾げた。「わかりません」

「そうですか。では最後に、野平さんの家を出た後の行動を教えてもらえますか。なるべく詳しく話していただけるとありがたいのですが」

草薙の問いに貴美子は眉をひそめた。アリバイ確認だと気づいたのだろう。

「お得意さんのところを何軒か回った後、事務所に戻りました。それが七時頃だと思います。その後は、買い物をして帰りました。家に着いたのが、たぶん八時頃です」

「その後は？」

「ずっと家にいました」

「お一人で？」

「いえ、娘とです」真瀬貴美子は首を少し後ろに捻った。

和室では相変わらず少女がテレビを見ている。斜め後方から見える頬が白い。

草薙は頷いた。

「真瀬さん、じつはお願いがあります。部屋を見せていただきたいのですが」

貴美子の顔が曇った。

「部屋をですか。何のために？」

「申し訳ないんですが、お話を伺ったすべてのお宅でお願いしていることなんです。すぐに済みます。男に触られるのは抵抗があるだろうと思いますから、主な作業は内海にやらせます。いかがでしょうか」

貴美子は当惑した顔つきだったが、不承不承といった感じで頷いた。

「そういうことなら、仕方ないですね。どうぞ」

すみません、といいながら薫は立ち上がり、ポケットから手袋を取り出した。

彼女はダイニングから作業を始めた。無論この目的は、金の地金をどこかに隠してないかを調べることだ。令状がないので徹底したことは出来ないが、１ＤＫの部屋では、探すところ自体があまりない。

隈《くま》無く探したが、地金は見つからなかった。そのかわりに薫は、この母娘がじつにつましい生活を強いられていることを知った。電化製品は必要最低限のものしかなく、いずれもかなり年季が入っている。冷蔵庫の中は質素そのもので、無駄に冷蔵あるいは冷凍する習慣はないようだった。洋服にしても、最新流行のものなど一着もない。さらに驚いたことに、本棚に入っている参考書の殆どは人から譲り受けたもののようだった。年度が明記されているものがあるのでわかったのだ。

押入の中を調べ終えた後、薫は草薙を見て頷いた。

「御協力ありがとうございました。またお話を伺うことがあるかもしれませんが、その時もどうかよろしくお願いいたします」草薙は腰を上げながら、貴美子に礼をいった。

アパートを出て、少し歩いてから、「どう思う？」と草薙が薫に訊いてきた。

「あの人に犯行は無理だと思います。少なくとも、金銭目当てで人を殺す人ではないです」

「どうしてそう思う？」

「あの生活ぶりを見たからです。安易に犯罪に走る人なら、あそこまで我慢した生活を続けてこれなかったと思います。今時、みかんのネットに石鹸の欠片《かけら》を入れて使ってる人なんて、ほかに知りません」

「だけど魔が差すってことがあるからな」

「草薙さんは怪しいと思うんですか」

「どうかな。よくわからん。あの手の母娘を見ると、冷静な判断がしにくいんだ」

「あの手の母娘って？」

「健気に生きてる二人暮らしの母娘だ。——まあ、そんなことはどうでもいい。急ぐぞ」

突然早足になった草薙の後を、薫はあわてて追いかけた。

「そう、やっぱり事務所にも。……ええ、ついさっき帰ったところ。アリバイっていうのかな、そういうことも訊かれた。……それはわからない。まだ疑ってるかも。あとそれから、家の中を見せてほしいって。……そう。押入の中とかも、結構細かく見られた。……ああそれは、女の刑事さんだったから大丈夫。……うん、そうね。そのほうがいいかも。わかった。じゃあ、また明日」

4

電話を切った後、貴美子は葉月のほうを向いて苦笑した。

「碓井《うすい》さん？」葉月は訊いた。

「そう。私が帰った後、事務所にも警察の人が来たんだって。机の中とかロッカーを調べてたみたい。盗まれた金を探してるのね、きっと」

「馬鹿みたい。いくら貧乏だからって、そんなことするわけないのに」つい声が尖った。

刑事たちに部屋を調べられている間も、葉月はずっと腹を立てていたのだ。

「あの日にたまたま訪ねていってるから、疑われても仕方ないとは思うけどね。あの仏壇の仕掛けを知っている人にしても、そんなにたくさんはいないだろうし」

「でもお母さんだけじゃないでしょ。野平さんの仏壇に金が隠してあることを知ってるのは。あたしだって知ってたよ」

「そりゃあ、あなたはね。それにしても大変なことになっちゃったな。お葬式はいつになるんだろう。野平さんの保険金の手続きもしなきゃいけないし」貴美子は壁に貼ったカレンダーを眺め、テーブルに頬杖をついた。

容疑者扱いされてるのに、被害者の葬式や保険金のことを心配している場合かと葉月は思うが、繊細そうな顔をしているくせに、じつは少し抜けたところがあるのが貴美子の美点なのだ。そうでなければ、これまでの様々な苦境を乗り越えてはこれなかっただろう。

葉月の父親の死因は自殺だった。練炭を使い、一酸化炭素中毒死したのだ。経営していた会社が倒産し、莫大な借金を抱えたことを苦にしてのものだった。

一家の大黒柱を失い、悲嘆に暮れていた母娘だったが、泣いてばかりもいられなかった。貴美子は知り合いの紹介で、今の仕事を始めることにした。保険の外交は、彼女が結婚前まで続けていた仕事だった。

「碓井さん、心配してたんじゃない？」

「それはまあね。急に警察が来たら、誰だってびっくりするわよね。しばらくは行かないほうがいいかなっていうから、そのほうがいいかもって答えておいた。だって、彼に迷惑がかかっちゃうかもしれないものねえ」

貴美子が「彼」という言葉を使うのは久しぶりだった。じつはこういう時こそ碓井に甘えたいのかもしれないと葉月は思った。

碓井俊和は、貴美子が働いている事務所の上司だ。彼女が仕事を始めるにあたり、様々な面でバックアップしてくれたらしい。「あの人がいなかったら、ふつうの主婦がキャリアウーマンに変身するなんてこと、あり得なかった」というのは、貴美子の口癖だ。

貴美子と碓井の間に男女の関係があることには葉月も気づいている。碓井は離婚経験者だが、子供はいない。二人が結婚を決意するようなら、反対はしないでおこうと決めていた。これまでの貴美子の苦労を振り返った時、女性としての幸せを手に入れる資格は十分にあると思うからだ。

このところ碓井は週に一度ぐらいのペースで部屋を訪れる。無論泊まっていくわけではなく、持参した缶ビールを飲みながら貴美子や葉月と話す程度だが、再婚に向けての準備ではないかと葉月は想像している。

「どうして犬がいなくなったのかな」葉月は呟いた。

「えっ？」

「刑事さんがいってたじゃない。野平さんの家で飼ってた犬がいなくなってるって。あたしも見たことあるよ、あの黒い犬のことだよね」

ああ、と貴美子は頷いた。

「どうしてかしらね。立派な番犬だと思ったけど、肝心な時にいないんじゃしょうがないわよね」

そんなことをいう母親を、葉月はしげしげと眺めた。

「お母さん、それおかしいよ」

「どうして？　何が？」

「犬が急にいなくなって、その時にたまたま強盗が入ったとか思ってるわけ？　そんなこと、あるわけないじゃん」

「じゃあ、どういうこと？」

「そんなの決まってるよ。犯人がどこかへ連れていったんだと思う」

「犬を？」

「うん」

「どうして？」

「だから――」

それを考えてんじゃん、という言葉を葉月は呑み込んだ。彼女の手の下では、水晶の振り子が揺れていた。

5

事件発覚から三日が経った。捜査に進展はなく、真瀬貴美子が最も疑わしいという状況にも変化がなかった。調べたところでは、彼女には数百万円の借金があったのだ。亡くなった夫が遺した負の遺産だ。金の地金を処分すれば、楽々と返済できる。

ただし容疑を裏づける証拠らしきものは何一つ見つからず、捜査員たちの表情にも焦りの色が見え始めていた。

サンハイツ２０５号室のドアには鍵がかかっていなかった。靴脱ぎには一足の靴が置いてあるだけだ。奥に進むと岸谷が疲れた顔で座っていた。ネクタイを外し、シャツの袖をまくっている。

「差し入れです」薫はコンビニの袋を床に置いた。

「おっ、サンキュ」

「真瀬貴美子は出勤したようですね」

「ああ。牧村さんが行ってくれた。助かったよ。何しろ相手は保険のセールスレディだから、尾行するのは大変だ」

「長女は部屋に？」

「そのようだ。今は春休み中だから、ゆっくり寝てるんじゃないか」

真瀬貴美子が犯人だと考えた場合、一番の謎は盗んだ地金をどこに隠しているかということだ。自宅以外で保管できる場所となれば職場ぐらいしかないが、そこはすでに捜索が行われている。

コインロッカーなど、どこか人目につかない場所に一時的に隠しているのだとしたら、そう長い時間は放置しておけないだろう、というのが捜査員たちの一致した意見だった。ぐずぐずしていたら、他人に見つけられてしまうおそれがあるからだ。少なくとも、頻繁に確認する必要はあるはずだ。

とはいえ今の状況では、仮に貴美子が犯人だったとしても、彼女自身が動くことは考えられない。地金の隠し場所に行くとすれば娘の葉月のほうが可能性が高い、というのも大半の意見だった。

「聞いたか。真瀬貴美子には男がいるみたいだぜ」コンビニ袋の握り飯のラップを開きながら岸谷がいった。

「どういう相手ですか」

「そこまではわかってないみたいだ。何度か部屋に来るところを近所の人間が見ている。サラリーマン風の男だってことだけど――」岸谷が腰を浮かせた。窓の外を見ている。

真瀬母娘のアパートのドアが開き、葉月が出てくるところだった。ジーンズにジャンパーという出で立ちだ。階段を下りながら、周囲を窺うように見回している。

「私が行きます」薫はバッグを肩にかけ、立ち上がった。

「おまえは顔を見られてる。気をつけろよ」

「わかってます」

急いで部屋を出た。だが通りに向かおうとして、あわててアパートの敷地内に戻った。真瀬葉月が道端にしゃがみこんでいたからだ。

物陰から様子を窺うと、間もなく葉月は立ち上がり、足早に歩きだした。薫は急いでその後を追った。

それからの葉月の行動は、じつに奇妙なものだった。数十メートル進むと立ち止まってしゃがみこみ、またしばらくして歩きだすという繰り返しだ。どうやら彼女はしゃがみこむたびに何かをしているようだが、薫の位置からでは遠くて見えない。

そんなふうにして一時間近くが経った。いつの間にか、ずいぶんと寂しい場所に来ていた。民家はなく、使途不明の小屋や倉庫が並んでいる。高速道路がすぐ上を走っていて、道端には不法投棄された家電製品などが積まれていた。

葉月の歩みが遅くなった。彼女の視線は投棄物に向けられている。

突然彼女は立ち止まった。それからゆっくりと投棄物のほうに近づいた。だが次の瞬間、彼女は大きく後ずさりしていた。口元を押さえ、凍りついたように立ち尽くしている。

どうすべきか、薫は迷った。どうやら葉月は何かを見つけたようだ。それが何なのか、彼女が立ち去ってから確認する手はある。しかし薫は歩を速めた。駆け足になっていた。

足音に気づいたらしく、葉月が彼女のほうを見た。目を見開き、反対方向に駆けだそうとした。

「待ちなさいっ」

薫の一言で、葉月は足を止めた。それを確認してから、薫は葉月が覗き込んでいた場所に目を向けた。テレビとビデオデッキが捨てられている。家電リサイクル法が施行されてから、郊外ではこの手の不法投棄が増加する一方だ。

壊れた洗濯機が目についた。薫が近づこうとすると、「見ちゃだめ」と葉月が叫んだ。

薫は彼女のほうを振り返った。彼女は両手を握りしめていた。

「見ないほうがいいよ……」

「大丈夫」薫は頷きかけ、洗濯機に近寄った。ドラム式で、蓋が開いている。

そこに何かが入っていた。一瞬、汚れた毛布か何かかと思った。だが、ぬらぬらとした液体にまみれて不気味に光っている黒い毛を確認した時、それが何かを薫は確信した。

よく見ると首輪のようなものも付いている。

彼女は携帯電話を取り出した。洗濯機から異臭が発せられているのを鼻で感じながら、草薙を呼び出した。

鑑識課員らと共に、草薙が野平加世子の息子を連れて現れた。野平は洗濯機の中に捨てられていた犬の遺体を見て、クロに間違いないと断言した。

「犬の散歩コースに、このあたりは入っていましたか」

草薙の質問に野平は首を振った。

「こんなところには来たことがありません。散歩コースとは全くの逆方向です」

草薙は頷き、薫のところへやってきた。

「で、その娘から話は聞いたのか」

「聞きましたけど……」薫は口籠もった。「よくわからない話なんです」

「何だ。どういうことだ」

薫は草薙を真瀬葉月のところへ連れていった。葉月はパトカーの中で小さくなっていた。

「さっきのあれを、もう一度見せてもらえる？」薫はいった。

葉月は躊躇いがちにジャンパーのポケットに手を入れた。そして出してきたのは、先端に水晶の飾りがついた鎖だった。

「これは？」草薙が訊いた。

葉月は黙っている。それで仕方なく薫が説明することにした。

「真実を教えてくれる振り子だそうです。彼女はこの振り子に行方不明になった犬の居場所を尋ね、ここまでやってきたということなんです」

6

ドアをノックすると、どうぞ、と無愛想な声が聞こえた。お邪魔します、といって薫はドアを開けた。だが室内が真っ暗だったので、彼女はすぐには足を踏み出さなかった。

「すまないが、早くドアを閉めてくれないか。無駄な光が入ると観測がやりにくい」湯川の声が奥から響いてきた。

「あ、どうもすみません」薫はドアを閉め、目を凝らしながらゆっくりと前に進んだ。

作業台のそばに白衣姿の湯川が立っていた。その作業台の上には、白い何かが浮かんでいる。置いてあるのではない。たしかに空中に浮遊しているのだ。しかもそれは光っていた。小さな白い点の集まりだ。

湯川が装置を操作する気配があった。次の瞬間、浮いていたものが形を変え始めた。やがてそれは見覚えのあるものとなった。あっ、と薫は声を発していた。

「何に見える？」湯川が尋ねてきた。

薫は唾を呑み込んでから口を開いた。

「学章です。帝都大学の学章に見えます」

「よし、先入観を持ってない君にそう見えるのなら問題ないな」

湯川はさらに装置のスイッチをいくつか触った。空間に浮いていた文字は、次には二つの輪となった。それらが絡み合っている。

「どうなってるんですか。これ、どうして空中に浮いてるんですか」

「空中に浮いているというより、空間に文字や図形を描いているといったほうが適切だ。空気というのは酸素と窒素から出来ているだろ？　それらの分子をレーザー光を使ってプラズマ化させている。高性能パルスレーザーを用いることで、一秒間に約千個の光のドットを生み出せる。後はそれを好きなように並べてやるだけでいい」

薫は口をあんぐりと開けたまま、空間に描かれた図形に見入った。湯川の説明は半分も理解できないが、とにかくすごい技術だということはわかる。

「これまでの映像というのは、必ずそれを映すためのモニターやスクリーンが必要だった。ところがこの方式なら、そういうものは必要ない。どんな空間上にも描ける。将来的には、立体テレビのようなものに結びついていくかもしれない」

「すごい発明ですね」

「残念ながら僕の発明じゃない。最近、確立されつつある技術を、うちの研究室でも再現してみただけだ」

「先生でも人の真似をすることがあるんですか」

「真似を馬鹿にしちゃいけない。とりあえず真似てみる。そこから独自の一歩を踏み出す。それが研究のセオリーだ」湯川は装置の電源を切った後、壁のスイッチを入れた。「さてと、では君の話を聞くとするか。たしかダウジングに関することだったね」

「そうです。お忙しいところを申し訳ないですけど」

「まあいいだろう。正直いうと少し興味がある。とりあえず、コーヒーでも入れるとしよう」湯川は白衣を脱ぎ、流し台に近づいた。


椅子に座ってインスタントコーヒーを一口啜り、湯川はふうーっと長い吐息をついた。肩の凝りをほぐすように首を左右に振った後、空いたほうの手で眼鏡の位置を直した。

「つまりその中学生は、何とかして母親の容疑を晴らそうと思った。そこで、行方不明になっている犬を探すことを思いついた。犬が見つかれば、真犯人がわかるんじゃないかと期待したわけだ」

薫は頷いた。

「犬がいなくなっていることは今回の事件では大きな謎ですから、そんなふうに考えたのは理解できます。でもまさか、それで本当に見つけられるなんて……」

「振り子を使ったといったね。具体的にはどんなふうに？」

「電話でもいいましたように、先に水晶の飾りがついた振り子です。それを指先で持って、問いかけたんだそうです。犬を見つけるには、どっちに向かえばいいか。右か左かとか、南か北か、という具合に。すると振り子がイエスかノーで答えてくれるらしいです」

「その様子を君は見ていたといったね」

「見ていました。分かれ道にさしかかるたびに、しゃがみこんで何かをしていたんです。振り子に問いかけていたとは夢にも思いませんでしたけど」

湯川はマグカップを作業台に置いた。

「たしかにそれはダウジングだな。ふつうはダウジングロッドといって、L字形に曲げた金属棒を二本使うんだが、振り子を使うやり方もあるということは知っている」

薫は首を傾げた。

「それって、科学的にはどうなんですか。インターネットとかで調べてみたんですけど、今ひとつよくわからないんです。井戸を掘るのに使われていたのは事実なんですよね。でも疑似科学だと断言している文章もあります。そうかと思えば、どこかの水道局が古くなった水道管の位置を探るためにダウジングを使ってたという話があったりするし」

湯川は苦笑を浮かべた。

「ほかの超能力と同様、ダウジングもまた反証が不可能な問題だからね」

「どういう意味ですか」

「ダウジングについては科学者によって昔から何度も立証実験が行われている。驚くなかれ、二十一世紀に入ってからも行われたことがある。結論からいうと、ダウジングの効果が立証された例はひとつもない。地中に埋めたものを探すとか、いくつかの箱から中身が入っているものを当てるとかいった単純な実験だが、確率以上の結果を残すことはできなかった。早い話、ダウジングなんか使わずに当てずっぽうで答えた場合と、結果が変わらなかったわけだ」

「じゃあ、やっぱりインチキなんですね」

「――と断言できないところが、この種の問題の難しいところだ。特定の実験で有意差を示せなかったからといって、ダウジングのすべてを否定することはできない。実験のやり方がまずかったのかもしれないし、実験に挑んだダウザーが力不足あるいはペテン師だった可能性もある。つまり実験でどういう結果が出ようとも、ダウジング自体を否定することは不可能なんだ。これが反証不可能ということだ」

「その言い方を聞いていると、湯川先生は信じておられないようですね」

薫の言葉に、物理学者は不快そうに眉をひそめた。

「信じてない、という表現は心外だな。僕のほうには、公正な条件下で行われた実験結果ならば、それがいかに不思議な現象であろうとも信じる準備はある。ただ、そういう結果が出ていない以上、コメントできることは何もない」

「じゃあ、今回のケースはどうですか。真瀬葉月がダウジングを使って犬の死骸を発見したのは事実なんです」

するとと湯川は薫の顔を見つめてきた。

「そういう君はどうなんだ。その女の子の話を信じているのか」

「それが……よくわからないから困ってるんです。私はこの目で見ていますから、信じてやりたい気持ちはあります。でも、そんなことってあり得るのかなって疑う気持ちもあります」

「その犬の死骸が発見されたことで、捜査に何か影響が生じたのか」

「若干の……いえ、かなり影響があるといったほうがいいでしょうね」

犬の死骸を調べたところ、体内から毒物が検出された。農薬の一種で、どうやら餌に混ぜてあったらしいことがわかっている。

「体内から毒薬か。となれば殺人事件と無関係ではないな。犬を殺し、死体を処分したのも犯人だと考えるのが妥当だ。その犬の体重は？」

「約十二キロです」

「盗み出された金は十キロだといってたね。合わせて二十二キロか。ふつうの女性が運ぼうと思ったら台車が必要になる」

「おっしゃる通りです。それに十キロの金はバッグに入れて隠せますが、十二キロの甲斐犬ではそういうわけにはいきません。犯人は車を使ったと考えるのが妥当です」

「その保険セールスの女性は車を持っているのか」

「持ってません。レンタカー屋を当たってますけど、今のところ、彼女が借りたという記録は見つかってません」

「なるほど、犬の発見によってかなり右往左往させられているようだな」湯川は楽しそうに、にやにやした。「それにしても、なぜ犯人は犬の死骸を隠したのかな」

「それがわからないんです。考えられるのは、毒薬が検出されるのを恐れたのではないかということですけど……」

「物証を残したくなかったってことかい？　それなら最初から毒薬なんかを使わなければいいと思うが」湯川は独り言のように呟いた後、薫を見た。「で、警察としては、そんな貴重な証拠を発見してくれた女の子の供述を、どのように扱うつもりなんだ」

「まだ決まってません。上司たちも困っています。被疑者の娘がダウジングを使って犬の死骸を発見――報告書にそんなふうに書くわけにはいきませんから」

湯川は細かく身体を揺すった。

「その上司というのには、草薙も入るんだろうな。それで君が僕のところに相談に来たというわけか」

「そこまでおわかりなら、何とかこの謎を解いていただけないでしょうか」

「君たちの上司だって能無しじゃないだろう。その女の子になぜ犬の死骸を発見できたか、論理的に推理しようとする人間はいないのか」

「もちろんいます。たとえばうちの係長なんかは、元々知っていたんじゃないかといっています。つまり女の子自身が何らかの形で事件に関わっているという考えです」

「いいねえ。じつに論理的だ」

「でもそれなら、ダウジングを持ち出してくる必要はないと思うんです。警察に匿名で、犬の死骸の置き場所を記した手紙でも出せばいい話です。実際彼女は、もし犬を見つけられたら、そうしようと考えていたといっています。それに何度もいいますけど、私は彼女が犬を見つけるまでの経緯を全部見ているんです」

薫の強い口調に、湯川も真顔になって黙り込んだ。その顔に向かって薫は続けた。

「もう一つ、付け加えておくことがあります。真瀬葉月がダウジングをすることは、彼女の同級生などはよく知っているんです。めったに人前ではやらないそうですけど、何人かは実際に目にしています。とてもよく当たるということです」

真瀬葉月が通う中学校のそばで、薫が何人かの生徒から聞いた話だ。もちろん殺人事件の捜査だとはいっていないが、自分が警察官だということは話した。どの生徒も真面目に答えてくれた。

腕組みをし、俯いていた湯川が顔を上げた。

「その女の子に会わせてもらえるかな。できればこの研究室で」

「わかりました。セッティングしてみます」薫は頷きながら答えた。湯川のこの言葉を待っていたのだ。

7

翌日、薫は真瀬葉月を連れて帝都大学を訪れた。彼女を湯川に会わせることについては草薙の許可を取ってある。

「期待してるぜ。いつものようにばっさりと解き明かしてくれることを祈ってる、と伝えておいてくれ」警察署を出る薫に、草薙がそんな言葉をかけてきた。

大学に向かう車中、葉月はずっと無言だった。物理学の先生に会ってほしい、ということはすでにいってある。しかし彼女に緊張している様子はなかった。不機嫌というわけでもない。母親の容疑を晴らすことに繋がるのならどんなことでもする——そう割り切っているように見えた。

大学に着くと、葉月は廊下で待たせ、薫だけが第十三研究室に入った。湯川は作業台の前にいた。台の上には奇妙な装置が作られていた。四本のパイプが並んでいて、その両端は箱で隠されている。

「これは……」

「一般的なダウジング試験装置だ。必要だと思った場合には、これを使ってテストを行う。この四本のパイプのいずれか一本に水を流し、ダウジングを使って、どのパイプに流れているかを当ててもらおうというわけだ。音は聞こえないように工夫した」湯川は、くるりと薫のほうを向いた。「さあ、では自称ダウザーを連れてきてもらおうか」

「わかりました」

薫は廊下に出た。葉月は窓のそばに立ち、外の様子を眺めている。

葉月ちゃん、と薫は声をかけた。「いいかな」

だが葉月は返事をしない。相変わらず、薫に背を向けたままだ。それで彼女がもう一度呼びかけようとした時、「広いね」と葉月は呟いた。

「えっ？」

「大学の校庭って広いね。うちの中学とは全然違う」

「たしかにここはそうね。でも大学といってもいろいろあるから」

ようやく葉月が振り返った。

「刑事さんも大学を出てるの？」

「まあ、一応はね。大したところじゃないけど」

「そうなんだ。そりゃそうだよね。今時、大学ぐらい出てないと、刑事にだってなれないよね」

「そんなこともないよ。高校を出ただけの人だっているよ」

「だけどその人たち、絶対に苦労してるよね。大学出の人たちと比べて。出世だって、遅いでしょ？」

「それは……ふつうの会社や役所と同じかな」

そうだよねと呟いた後、葉月は勝ち気そうな目を薫に向けてきた。

「でもあたし、大学になんか行く気はないんだ。大学を出たって、馬鹿な人はいっぱいいるもん。高校を卒業したら、ばりばり働くつもり。大卒なんかに絶対に負けない」

「その気持ちがあれば大丈夫だと思う」薫は微笑みかけた。「湯川先生に会ってくれる？」

はい、と葉月は答えた。

水晶の振り子をしげしげと観察した後、湯川は納得したように頷き、それを葉月のほうに戻した。彼と葉月は机を挟んで向き合っている。薫は彼等から少し離れたところにパイプ椅子を置き、腰掛けていた。

「品質のいい水晶だね。これをどこで？」湯川が訊いた。

「五歳ぐらいの時に、お婆ちゃんから貰いました。死んだ父の母です」

「そのお婆さんはご健在？」

　葉月は首を横に振った。

「これをくれた後、すぐに亡くなりました。病気で、ずっと寝込んでたんです。もう長くないと思ったから、あたしにこれを譲る気になったのかも」

「ダウジングのやり方も、その時に習ったわけ？」

「そうです。代々伝わってるものだと聞きました。お婆ちゃんは、ダウジングとはいわなかったけど」

「何といってた？」

「お婆ちゃんが、曾《ひい》お婆ちゃんから習った時には、ミズガミサマといってたそうです」

「ミズガミサマ……水の神様ということだね。なるほど」湯川は得心がいったという顔だ。

「どういうことですか」薫は訊いてみた。

「水神様というのは、その名の通り、水に関する神様のことだ。農耕民族にとって、水は何よりも大切なものだろう？　だから昔は、水源地なんかに祀られた。彼女の曾お婆さんがこの振り子を水神様と呼んだのは、かつて水源地を探すために用いられた過去があったからかもしれない」湯川は葉月に視線を戻した。「君は、いつからこの振り子を使ってるんだい」

　彼女は小さく首を傾げた。

「正確なことは覚えてません。いつの間にか使うようになってたって感じかな」

「どういう時に使うわけ」

「特に決まりはないです。どうすればいいか迷った時とか、何かの答えがほしい時に使いなさいとお婆ちゃんからはいわれました」

「そうして振り子の出した答えを、君はいつも信じるのかい」

「もちろんです。だってそのために振り子に尋ねるんですから」

「振り子が間違った答えを出すかもしれないとは思わない？」

「思いません。そんなふうに疑ったら、振り子は答えをくれないから」

「実際、振り子が間違っていたことはないの？」

「ありません」

「一度も？」

「はい」葉月の目は、真っ直ぐに湯川の顔を捉えていた。

　湯川は大きく吐息をついた。

「振り子に答えられない問題はないのだろうか」

「ないと思います」

「じゃあこの振り子さえあれば、君には何でもわかることになるね。明日の天気も、テストの問題も」湯川は挑発するようにおどけた口調でいった。

だが葉月はむきになる素振りを見せず、かすかに笑みを浮かべた。微苦笑ともいえるものだったので、薫は少し驚いた。

「お婆ちゃんにいわれました。この振り子を欲のために使っちゃだめだって。たとえば競馬や宝くじなんかに」そういった後、葉月は小さく肩をすくめた。「でも白状しちゃうと、一度だけテスト問題を尋ねようとしたことはあります」

「その結果は？」

葉月はかぶりを振った。

「できませんでした。キョヒられたんです」

「拒否？」

「振り子を使う時には、必ず最初にする手順があります。これから自分のやろうとしていることが正しいかどうかを尋ねるんです。テスト問題を知りたいけど、それは正しいことですか、という具合にです。振り子の答えはノーでした。やっぱりこういうことはしちゃいけないんだなと思って、それからはしなくなりました」

湯川は目を見開き、椅子にもたれた。薫のほうをちらりと見て、再び葉月に視線を戻す。

「犬の死骸を探そうと思った時も、まずそれが正しいことなのかどうかを振り子に訊いたわけだね」

「そうです」

「振り子の答えはイエスだった？」

「はい」

「その後は、具体的にどうやったのかな」

「まず見つけたいものを頭の中でイメージします。あの家の犬は何度か見ているので、それは難しくありませんでした」

「その犬のイメージを僕にもわかるように話してもらえないかな」

湯川の質問に、葉月は瞬きを繰り返した。彼女が初めて見せる心の揺れのように薫には感じられた。

「真っ黒の毛をした、よく吠える犬です。今にも嚙みつきそうな勢いで、こっちを睨んできます。耳は立ってて、口からは牙が覗いています。そういう犬です」

「イメージした後は？」

「家を出て、振り子に行き先を尋ねながら進みました」

「その行為が正しいかどうかを尋ねる必要はないのかい」

「それも尋ねます」

「分かれ道にさしかかるたびに？」

はい、と葉月は小声で答えた。

湯川は腕組みをして彼女を見つめた。

「最近ではほかに、どういう時に振り子を使った？　事件とは無関係でもかまわない」

葉月は躊躇うように俯いたが、やがて決心したように顔を上げた。

「この前、一年先輩の人から付き合ってくれっていわれました。前から憧れてた人だったのでオーケーしてもいいかなと思ったけど、遊んでる余裕なんかないって気もするから、振り子に尋ねました。やめたほうがいいってのが答えでした。だから断りました」

横で聞いていて、薫は驚いた。そんなことまで振り子に委ねるとは思わなかった。

「それで後悔はしていないんだね」湯川が訊く。

「全然してません。だってそれから少しして、その先輩がほかの女の子とデートしているのを見ちゃったんです。きっと適当に遊べれば誰でもよかったんだと思います。あたしには受験があるし、本当に正解だったと思います」笑みを浮かべながらいった後、「いつだって振り子は正しいんです」と彼女は締めくくった。

湯川は組んでいた腕をほどき、自分の両膝を叩いた。

「ありがとう。僕からの質問は以上だ」

「もういいんですか」葉月は拍子抜けしたようだ。「実験とかしなくていいんですか」

「いいんだ。これで十分だよ」湯川は薫のほうを向いた。「家まで送ってやってくれ」

わかりました、といって彼女は立ち上がった。


「あの先生、あたしの話を信用してくれたかな」帰りの車の中で葉月が呟いた。「振り子のことを大人に話すと、いつもインチキとか錯覚っていわれるんだけど」

「あの人は根拠もなく決めつけたりはしないよ」

「そうなんだ」

葉月を自宅まで送り届けた後、薫は帝都大学に引き返した。研究室を出る時に、湯川からそのようにするよう耳打ちされたからだ。

「どうして試験をしなかったんですか」研究室に戻るなり、薫は訊いた。

「最初にいっただろ。必要があると思ったら試験をすると。彼女と話していて、その必要はないと判断した」

「どういうことですか」

「結論からいうと彼女は嘘をついている。ダウジングによって犬の死骸を見つけたんじゃない。家を出る時、彼女はすでにあの場所を知っていた」

「どうしていいきれるんですか」

「彼女は、家を出てから行き先を振り子に尋ねたといった。本来なら、その前にすべきことがある。地図を使い、おおよその場所を決めておくんだ。そうしないと、これから向かう場所が徒歩で行けるところなのかどうかがわからない」

あっ、と薫は口を開けた。

「僕が、犬の死骸を探そうと思った時も、まずそれが正しいことなのかどうかを振り子に訊いたのかと質問したら、そうだと彼女は答えた。犬の死骸、と僕はいったんだ。つまり彼女は犬が死んでいることも知っていたことになる」

その会話は薫の耳にも残っている。その矛盾に気づかない自分の迂闊さが悔しかった。

「でもそれなら、どうして彼女は真っ直ぐに向かわなかったんですか。彼女が時折止まっては、しゃがんで何かをしていたのは事実なんです」

「それについては彼女がいっている通りなんだと思う。振り子に尋ねていたんだ。ただしそれは行き先じゃない。分かれ道にさしかかるたび、このまま進むべきかどうかを決めていたんだ」

「迷いながら進んでいたということですか」

「そういうことだ。おそらく彼女は何らかの根拠があって、犬の死骸がどこにあるのかを推理したんだと思う。だけどそれを警察に話すわけにはいかなかった。話せない事情があるんだよ。だからまず自分の目で確かめようとした。だけどその行為もまた、彼女にとっては非常に決断を要するものだった。だから途中で何度も振り子に問いかけたんだ。これは正しいことなのか、このまま進んでもいいのか、とね」

「話せない事情って何でしょう？」

「君ならどうだ。事件に関する重大なことに気づいたとする。それによって真犯人がわかるかもしれない。でもそれを警察に話すのは躊躇われる。それはどういう時だ」

薫は思考を巡らせた。やがて一つの答えが見えた。

「真犯人が知り合いの時……」

「そうだ」湯川は頷いた。「彼女は、身近にいる人物を疑っている。そしてその人物ならば犬の死骸をどこに隠すかと考えた時、その場所を思いついたのだと思う」

「彼女から話を聞いてみます」薫は立ち上がった。

「その必要はない。たぶん犯人は簡単に見つけられる」湯川はいった。「犯人には目印がついているはずだ」

8

真瀬貴美子の上司であり恋人でもある碓井俊和が逮捕されたのは、薫が葉月を湯川に会わせてから三日目のことだった。碓井の部屋の天井裏から金の地金が見つかったため、自供するまでに時間はかからなかった。

　野平加世子が金の地金を仏壇に隠していることを貴美子から聞いて知っていた碓井は、何とかしてそれを奪えないものかと考えていた。というのは、彼は会社の金に手をつけており、早急に穴埋めをする必要があったからだ。

　そんな時、野平家の長男一家が留守にすることを貴美子から聞いた。これを碓井は千載一遇のチャンスだと思った。

　貴美子が野平加世子と会ったすぐ後で、碓井は野平家を訪ねた。部下がいつも世話になっているので挨拶に来たといって上がり込み、野平加世子が油断したところを後ろから絞殺した。だがその時点では金の地金を奪わず、家の戸締まりをして、さらに玄関の鍵を持って外に出た。その理由を碓井は、「金の地金を仏壇に隠してあるとは知っていたが、具体的にはどんなふうに隠されているのかわからなかったので、夜に再度忍び込んでからじっくりと時間をかけて探そうと思った」と述べている。また野平家を後にする際、犬の餌皿に農薬を混ぜた餌を投入した。無論これは、次に忍び込んだ時に吠えられるのを防ぐためだった。

　夜が更けるのを待ち、碓井は車で野平家に向かった。車は離れた場所に停め、改めて侵入した。犬は死んでいるらしく、全く動かなかった。野平加世子の部屋へ行くと、少々時間がかかりながらも仏壇の隠し箱を発見し、隠されていた金の地金十キロをすべてバッグに詰めた。それを抱え、玄関から外に出て、鍵をかけた。

そこまでは完全に予定通りだった。だが脱出しようと門に向かいかけた際、予想外のことが起きた。


「死んでいたと思っていた犬が、突然嚙みついてきたんだそうです」薫はいった。「すごい執念ですよね。毒入りの餌を食べて死にそうになっているのに、番犬としての任務を果たそうとしたわけです。警察も見習わなきゃいけません」

「どこに嚙みついたんだ」湯川が訊く。

「右の足首です。碓井が必死になって振り払ったら、ようやく離したそうです。で、力尽きたらしく、そのまま動かなくなったとか。でもそのままにしておくと、歯についた血から割りだされるかもしれないと思って、死骸を処分することにしたそうです」

「傷の程度は？」

「結構深いみたいです。歩くのに、少し足を引きずってましたから」

「それほどの傷じゃ、隠すのは難しいだろうな」

「先生のアドバイス、とても助かりました。犯人には犬に嚙まれた傷があるはず――お見事でした」

鑑識で犬の死骸を改めて調べてもらうと、歯から人間の血液が検出された。そこで真瀬母娘の周辺を調べてみたところ、碓井が浮かんできたのだ。ＤＮＡが一致することを確認して、逮捕状の請求となった。

「ふつうの少女に犯人が推理できたとしたら、余程明瞭な根拠があったということになる。しかもそれは犬に関係している。もしかしたらその人物には、犬と接触した痕跡があるんじゃないかと考えた。だから彼女が問題の犬に対して抱いているイメージを訊いてみた。すると、今にも嚙みつきそう、という答えが返ってきた。犯人には嚙まれた傷があって、彼女はそれを見たんじゃないか、と考えるのは当然だろ。犯人が犬の死骸を隠したことも説明がつく」

「今朝、葉月ちゃんに会ってきました。犯行の翌日、碓井がアパートに来たそうです。その時、碓井が傷の手当てをするのを見たらしいです。明らかに犬に嚙まれた傷だったといっています。でも碓井には世話になっているし、母親との仲も知っているので、なかなか口に出せなかったみたいです。それでももし犬の死骸があの場所から見つかったら、匿名で警察に知らせるつもりだったようです」

「その場所のことは前から知ってたのかな」

「以前、碓井が近所の猫を車で轢《ひ》いてしまった時、あの場所に死体を捨てたといってたそうです。彼女はそれを覚えてたんですね」

「なるほど。たしかに犬や猫の死骸を処分しようと思っても、なかなか適当な場所は思いつかないだろうからな」

「葉月ちゃんが本当のことを話してくれたおかげで、報告書も書きやすくなりました。ところで一つだけ訊いていいですか」

「なんだ」

「どうしてダウジング試験装置を使わなかったんですか。先生のことだからきっと、振り子の力を信じてる彼女の目を覚まさせようとすると思ったんですけど」

するとと湯川は彼女の顔を見つめ、ため息をつきながらかぶりを振った。

「君はまだ科学というものがわかってないな」

薫は、むっとした。「どうしてですか」

「神秘的なものを否定するのが科学の目的じゃない。彼女は振り子によって、自分自身の心と対話をしている。迷いを振り切り、決断する手段として使っているにすぎない。振り子を動かしているのは彼女自身の良心だ。自分の良心が何を目指すのかを示す道具があるのなら、それは幸せなことだ。我々が口出しすべきことじゃない」

真面目な顔で語る湯川を見つめ、薫は口元を緩めた。

「もしかしたら先生自身が、彼女のダウジングが本物ならいいなと思ってるんじゃないんですか」

すると湯川は黙ったままで意味ありげに片方の眉を上げ、コーヒーの入ったカップに手を伸ばした。

第五章

攪乱す

みだす

1

ウィスキーをストレートで飲むと、喉の奥がひりひりした。

男が酒を飲むのは久しぶりだった。いつだったか、由真《ゆま》が友人から貰ってきたウィスキーだ。

「バイトしてたバーが潰れたんだって。残ったお酒を、みんなで山分けしたそうだよ。ウィスキーは大して好きじゃないんだけど、まあ、たまにはいいかなと思って」

ワインならよかったんだけど、と彼女は笑った。

そのウィスキーの瓶は、カップラーメンなどと一緒に戸棚に入れてあった。冷蔵庫に氷がなかったので、やむなくストレートで飲み始めたのだった。

高級酒らしいが、少しもうまいとは感じなかった。そんなものを味わっている場合ではなかったし、そもそも彼には酒の良し悪しなどわからなかった。ただ酔いたくて飲み始めただけなのだ。

彼はダイニングチェアに座っていた。琥珀色の液体が入ったグラスを持ったまま、隣の和室に目を向けた。

由真が横たわっていた。長袖の黄色いスウェットは、同居を始めた頃から着ていたものだ。かなりくたびれた感じなのだが、彼女は気に入っているようだった。

由真は目を閉じたまま動かない。ぴくりとも動かない。健康的なピンク色だった唇は、灰色に近くなっている。白くて華奢な手が彼の胸を撫でてくれることは永遠にないし、彼の熱い思いを受けとめてくれた腰が再び動くこともない。

すべてを失ったのだ、と彼は思った。これまでにも、自分は様々なものを失ってきた。それでも耐えてこられたのは、最大の宝物だけは手中にあると信じてきたからだ。それは無論、由真のことだ。彼女がいてくれさえすれば、自分の人生はそれほど絶望的なものではないと感じることが出来た。

だがついにその彼女さえも失ってしまった。これから先のことを思うと、目の前が暗くなった。いや、先のことなど考えられないというのが本当の気持ちだった。

ウィスキーを喉に流し込んだ。その瞬間、しゃっくりが出た。口に含んでいたウィスキーが噴き出て、彼の膝を濡らした。

どうしてこんなことになってしまったのだろう、と思った。自分は本来、こんな人生を歩むはずではなかったのだ。もっと華やかで、希望に満ちた生活を送れると信じていた。そのための努力を怠った覚えなど何ひとつない。

どこかで歯車が狂ったのだ。どこでだ——そしてまた、しゃっくり。

彼はグラスを置き、立ち上がった。ふらつく足取りで、机に近づいた。

わかっている、と思った。いつどこで自分の道が歪められたのかは、はっきりしている。

正面の壁に、週刊誌のコピーが押しピンで留められている。見出しは、『怪奇事件解決の裏に天才科学者の存在』となっている。その内容は、超常現象としか思えない怪奇事件を解決するのに、警視庁捜査一課が某大学の物理学者に協力を依頼したところ、それが見事に成功を収めたというものだった。その学者についてはT大学のY准教授としか書かれていないが、彼にはどこの誰かはわかっていた。

彼は机の上に置いてあったカッターナイフを手に取った。その刃を数センチ出すと、週刊誌のコピーを斜めに切り裂いた。

2

手紙を書いていると、すぐ前に人の立つ気配があった。薫は顔を上げた。草薙が彼女の手元を見下ろしていた。

「誰宛のラブレターだ」

「単なる礼状です。地質学の先生に、捜査に協力してもらったじゃないですか」

「ああ、あれか。死体に付着してた泥を分析してもらったんだったな。ふうん、おまえいつも礼状を書いてるのか」

「いつもではないですけど、書くように心がけてはいます。またお世話になるかもしれませんし」

「へえ」草薙は鼻の横を指先で掻いた。「湯川にも書いてるのか」

「えっ？」

「何度か協力してもらってるじゃないか」

薫は背筋を伸ばし、瞬きした。

「そうですよね。やっぱり書くべきですよね」

草薙は噴き出した。

「やめとけやめとけ。あいつが学生たちのレポートに難癖をつけてるのを聞いたことがある。内容だけでなく、文章にまでけちをつけてやがった。うっかり礼状なんかを出したら、添削して送り返してくるだけだぞ。そもそもあいつはそんなものを欲しがらない」

「そうですか。でも、何らかの御礼はやっぱりしたほうが……」

「心配するな。時々俺が酒を奢ってる」

「それって、奇麗な女性のいるお店ですか」

「当然だ。接待というのは、そういうもんだろ」

そういって草薙が胸を張った時、彼の背後から間宮が近づいてきた。

「おまえたち、俺と一緒に来てくれ」

薫は素早く立ち上がった。「事件ですか」

「いや、まだ何ともいえない。少々厄介な話だ」間宮の顔は曇っていた。

薫と草薙が連れていかれた小会議室では、管理官の多々良が待っていた。多々良は長年捜査一課一筋で勤め上げてきた人物で、辣腕刑事としての伝説をいくつか作っている。髪を奇麗に櫛で分け、眼鏡をかけているので穏やかな印象を受けるが、実際には瞬間湯沸かし器という渾名《あだな》がつけられているほど短気だ。怒った勢いで壁を拳で殴り、壁に穴も開いたが骨も折れたという逸話が残っている。

薫は草薙や間宮と並んで椅子に腰掛けた。多々良と向き合うだけで冷や汗が出そうになる。

多々良は一枚の書類に目を落としていた。その目を間宮に向けた。

「二人に事情を話したのか」

「いえ、まだです。ほかの者に聞かれると面倒だと思ったものですから」

「うん、そうだな」多々良は机の上に書類を置いた。「じつは、こういうものが課長のところに届いた。これはコピーだ。現物は、鑑識のほうで調べてもらっているところだ」

拝見します、といって草薙が手を伸ばした。薫は隣から覗き込んだ。

そこにはプリンタで印字されたと思われる文字が並んでいた。それを読み、薫は息を呑んだ。文面は以下のようなものだった。

『親愛なる警視庁の諸君へ。

私は悪魔の手を持つ者である。その手を使えば、自在に人を葬ることができる。警察には絶対に阻止できない。なぜなら悪魔の手は人間には見えないからである。警察は被害者の死を事故と判断するしかない。

愚かな君たちは、この警告文を悪戯《いたずら》と決めつけるだろう。そこでまずは、数日内にデモンストレーションを行う。それによって私の力を思い知ることになる。それからが、私と君たちとの本当の戦いだ。

自分たちでは手に負えないと思うなら、例によってT大学のY准教授に助太刀《すけだち》してもらうとよい。どちらが真の天才科学者か、勝負してみるのも一興だ。

では准教授によろしく。

悪魔の手』

草薙は書類を置いた。

「何ですか、これは」

「だから課長のところに届いたものだ。今朝、郵送されてきた。消印は東京中央局のもので、昨日の昼間に投函されたと考えられる。封筒の表書きもプリンタで印字されたものだ。プリンタやパソコンソフトの特定についても鑑識に依頼してある」多々良は、じっと草薙を見つめた後、そのまま視線を薫のほうに移動させた。「君たちの意見を聞かせてもらいたい。この手紙について、どう思う？」

薫は草薙と顔を見合わせた。彼の顔には困惑の色が浮かんでいる。自分も同様だろう、と彼女は思った。

「気取ってますね」草薙はいった。「まるで怪人二十面相気取りだ」

「じゃあ、単なる悪戯というわけか」

いえ、と草薙は首を振った。

「文章は気取ってますが、これを読んだかぎりでは、単なる悪戯ではないように思います」

「その根拠は？」

「ふつう警察に対して悪戯を仕掛ける者は、警察の反応を見て喜んだり楽しんだりするものです。たとえば、どこそこの施設を爆破するといったように、具体的な犯行を予告します。それによって関係者が慌てるのを見て楽しむわけです。しかしここにはそういったことは書かれていません。また、要求らしきものも示されていません。これでは警察としては何とも対応できません。そんなことは書いた本人にもわかっていると思うのです。警察が全く反応しないのでは、悪戯の意味がありません」

多々良は頷いた後、再び薫に目を向けた。

「若手の意見も伺おうか。君は、どう思う？　やはり、単純な悪戯ではないと考えるか」

「率直にいって、それはよくわかりません。ただ、気になる点があります」薫は、やや緊張したままで答えた。「犯人が、やけに帝都大の湯川先生を意識していることです。准教授という言葉が二度も出てきます」

「それは私も気になった点だ」多々良はいった。

「何か月か前に、いくつかのマスコミが湯川先生のことを取り上げました。先生の警視庁への貢献度に気づいた記者が記事にしたことがきっかけです。実名は出ていませんが、湯川先生を知っている人なら、誰のことなのかはすぐにわかると思います」

「つまり悪戯かどうかは別にして、犯人の狙いは湯川准教授にあるのではないか——君はそう考えるわけか」

「もちろん、断言は出来ませんけど……」

「その点について、君はどう思う？」多々良は草薙に問うた。

「一理あると思います。これは犯行声明というより、湯川への挑戦状と読むことが出来ます」

草薙の答えに、多々良は唸りつつ吐息をついた。

「挑戦状か。また、面倒なことを考える輩がいたものだ。しかし草薙のいうように、こんなものを受け取ったところで、こちらに出来ることは何もない。デモンストレーションを行うと書いてあるが、具体的に何をするのかは書いてないからな。事故に見せかけて人を殺《あや》めるということらしいが、どういう事故なのかが不明では対策のとりようがない」

「湯川に相談してみましょうか」草薙がいった。「仮に犯人が湯川への挑戦を目的としているのなら、何か心当たりがあるかもしれません」

「湯川准教授が犯人を知っていると？　それなら話が早いが……」

多々良が口元をへの字に曲げた時、草薙の携帯電話が鳴りだした。

すみません、といって彼は電話を取り出した。だが着信表示を見ると、そのまま顔を上げて管理官を見た。

どうした、と多々良は訊いた。

「噂をすれば、というやつです」草薙は液晶表示を多々良のほうに向けた。「湯川からです」

マグカップに入れたインスタントコーヒーに続いて、湯川が出してきたものは、一枚の書類だった。それを見て薫は、やはり、と思った。捜査一課長の元に送られてきたものと同じ文面が印刷されていた。違うのは、文章の頭に以下の一文が付いている点だ。

『帝都大学　湯川准教授へ。

警視庁捜査一課に下記のような文書を送付した。無能な彼等のことだから、必ず君に泣きついてくるだろう。捜査員の来訪を待っているがいい。』

湯川は椅子に座ってマグカップを手にし、薫と草薙を交互に見つめてきた。

「僕は人を待つのが苦手でね。どうせ、捜査員が来るのなら、早いところ話を済ませておこうと思い、草薙に電話をかけた」

「俺たちのほうでも、おまえから話を聞くかどうかを相談していたところだ」

草薙の言葉に、湯川は怪訝そうに眉をひそめた。

「僕に話を聞いてどうする？　話すべきことなんて何ひとつない」

「心当たり、ないんですか」薫は訊いてみた。

「ないね。この文面を読んだ僕の印象は、だからいわんこっちゃない、というものだ。国民の義務として、また科学者としての使命感から何度か捜査に協力したが、そのことが外部に知れ渡ることだけは阻止してくれと何度も釘を刺した。それを守らなかったから、こういうことになった。おそらくこの『悪魔の手』なる差出人は、T大学のY准教授の実績を大袈裟に伝える報道を目にして、不快になったのだろう。ヒーローめいたものをマスコミが作りだせば、反発する人間が出てくるのは世の常だ。つまり、そういった報道を見た人間のすべてが容疑者というわけだ。本当に『悪魔の手』なんてものを持っているかどうかはわからんがね」

「お言葉ですが、私たちが先生に関する情報をマスコミに流したなんてことは一度もありません。複数の事件の物証に帝都大物理学科が絡んでいることに気づいた新聞記者が、独自の調査で先生のことを嗅ぎつけたんです」

「そのことはわかっている。僕のところに取材を申し込んできた人物が、そういっていたからね。しかしそういったことも予想して、事前に予防線を張っておくべきだったのではないかと僕はいっているわけだ。捜査協力者の身元が簡単に漏れるようでは、今後、誰も警察に協力しようとは思わなくなる」

「おまえのいう通りだ」草薙はいった。「それについてはこちらとしても反省している。今後、こういうことのないよう細心の注意を払うつもりだ」

「僕に関していえばすでに手遅れという気がしないでもないが、そうしてくれ、というしかないな」

「こちらの落ち度を認めた上で、改めて尋ねたい。しつこいようだが、本当に心当たりはないのか？　文面を読んだ印象としては、おまえに対抗意識を持っているように感じられるんだが」

「僕に対抗意識を持っているからといって、僕の知っている人物だとはかぎらないだろう」

「T大学のY准教授というキーワードだけで、おまえのことだとわかったんだ。そんなに無関係な人物ではないと思う。とにかく一度じっくりと考えてみてほしい。これまでに会った科学者の中に、こういうことをしそうな人間がいないかどうかを」

「それは無理だ」

湯川がきっぱりといいきるのを聞き、薫は思わず彼の端正な顔を見つめた。草薙も意表を突かれたように一瞬押し黙った。

「たしかに僕には知り合いの科学者がたくさんいる。しかし彼等の人間性については殆ど知らない。僕が把握しているのは、彼等の実績だけだ。したがって、誰がこんな手紙を書きそうかなんてことが判断できるわけがない」

草薙は薫のほうを見た。その顔には、お手上げだな、と書いてあった。

「わかった。じゃあ、この件についてはこちらに任せてもらおう。この手紙は預からせてもらっていいな」

「どうぞ。返却不要だ」湯川は傍らに置いてあった封筒も差し出した。「ところで、主任に任命されたそうだな。おめでとう」

草薙は、げんなりした顔を作った。

「別に何も変わりはしない。これまでと同じことをするだけだ」

「内海君は草薙チームの所属か。頼もしいな」湯川は薫を見て、にやりと笑った。

「誰が誰にとって頼もしいんだ?」草薙が訊く。

「それは、お互いにとってだ」

ふん、と鼻を鳴らした後、「行こうか」といって草薙は腰を上げた。

薫は草薙の後に続いて部屋を出ようとした。しかしドアの手前で振り返った。

「『悪魔の手』って何だと思いますか」

湯川は肩をすくめた。

「僕にわかるわけがない。見えない力ということらしいが、そんなものはいくつも存在する。あの文面だけで特定することは不可能だ。さっきもいったように、犯人が本当に持っているかどうかも不明だしね」

「そうですね……。どうもお邪魔しました」

ただ、と湯川はいった。

「単なるこけおどしではないような気はする」

「どうしてですか」

「文中に、科学者という言葉が出てくるからだ。それを書いた人間は、少なくとも自分のことを科学者だと思っている。そこには何らかの根拠があると考えたほうがいいだろう」

薫は頷いた。「参考にします」

湯川は顔をしかめ、手を振った。

「素人の意見だ。無視してくれていい」

3

男はスーパーの屋上駐車場に車を停めた。白のワンボックスバンだ。運転席から後部スペースに移動した。座席は取り外されている。ある装置をスライドドアのすぐ横に置きたいからだった。

周囲に人がいないことを確かめて、男はスライドドアを開けた。

装置には特殊なスコープが付いていて、スライドドアのほうを向いている。男はそれを使って外を見た。レンズのピントを合わせると、太い鉄骨で組まれたビルの躯体《くたい》を視野に入れた。作業着姿の男が一人、一番上に立っている。高さは地上から二十メートル近くはありそうだ。男の位置からだと、少し見上げる格好になる。

男は改めてスコープの焦点を作業員に合わせた。作業員はしゃがみこんで、何やら作業を進めている。昨日までと同様、命綱はつけていない。高所作業に慣れており、自分の経験とバランス感覚に自信を持っているのだろう。

年齢は五十過ぎというところか。ヘルメットの下から覗く頭髪に、白いものが混じっているかどうかまでは確認できなかった。

それぐらい生きたんなら、まあいいよな――男はそう呟いて、装置のスイッチを入れた。

モニターの前で草薙は頭を掻きむしった。画面に表示されているのは、ここ数日間に東京都内で起きた交通事故に関するデータだ。

事故は八百件ほど発生している。その中で死亡事故に繋がったのは三件で、四人が亡くなっている。

一件目は、スピードを出しすぎてカーブを曲がりきれず、車が電柱に激突したというもので、運転していた大学生と助手席の友人が死んでいる。二人とも、かなりの量のアルコールを摂取していた。交通課の話では、ブレーキを踏んだ跡が路面に残っていないから、運転者が眠っていた可能性が高いという。また、二人が居酒屋にいるところは、何人かによって目撃されている。

起こるべくして起こった事故、といわざるをえない。酒を飲むのも、車を運転するのも、本人たちの意思によるものだ。『悪魔の手』などが介入出来る余地はどこにもない。

しかし草薙は、この事故を無関係と断定していいものかどうか迷っている。彼を迷わせるのは、運転していた大学生について、「飲酒運転などする子ではなかった」と両親がいっている点だ。無論、いつもの草薙なら、「単なる親馬鹿」で済ませるところだが、例の怪文書が頭にちらついてしまう。

誰かが大学生たちをそそのかし、酒を飲ませたうえで車を運転させたのではないか。たとえば催眠術をかけて――。

草薙はため息をついた。こんなふうに考えていけば、どんな事故も疑わしく思えてしまう。たとえば二件目の死亡事故は、信号を無視して交差点を渡ろうとした老人が軽トラックにはねられたというものだが、これについても老人が何者かによって催眠術をかけられていたかもしれない、と考えることは可能だ。

催眠術で、そこまで人間の行動をコントロールすることが可能なのかどうか、草薙にはわからなかった。湯川に相談してみようかとも思うが、馬鹿にされそうで何となく気が進まない。

背後に人の立つ気配があった。振り返ってみると、間宮だった。

「何か見つかったか」

草薙は首を振った。

「正直いって、お手上げです。どれも単純な事故としか思えませんが、ひねくれた見方をしようと思えば、いくらでも出来ます」

「だろうな」間宮は頷いた。

「例の怪文書が悪戯だとすれば、全くたちが悪いとしかいいようがありません。犯人が何の事件も起こさなくても、こっちとしては勝手にあれこれと想像を働かせざるをえないんですから」

「なるほどな。となれば犯人は、その心理をさらに利用しようとしているのかもしれんな」

「どういう意味ですか」

「おまえをさらに悩ませるのは、俺としても気がひけるんだがな」間宮は一枚のコピー用紙をひらひらさせた。「こんなものが届いた。現物は鑑識に回した」

草薙はそれを手に取った。前回の怪文書と同じような体裁で、次のような文章が印字されていた。

『親愛なる警視庁の諸君へ。

予告した通り、悪魔の手のデモンストレーションを行った。今月二十日、墨田区両国の建築現場で、作業員・上田重之を転落死させた。確認してみるといい。尚、これが単なる法螺《ほら》でないことは、Y准教授が教えてくれるだろう。

草薙は書類から顔を上げた。

「建築現場で転落事故？」

間宮が下唇を突きだし、二重顎を引いた。

「本所署に確認してみた。たしかに二十日、そういう事故が起きている。死亡したのが上田重之という作業員だというのも事実だ」

「その事故のことは報道されましたか」

「一部の朝刊に載ったらしい。だから犯人が、それを見て、こんな犯行声明みたいな文書を送ってきた可能性はある」

「つまり、たまたま起きた死亡事故を、自分の仕業だと見せかけようとしている、というわけですか」

「その可能性はある。ただ、最後の文章が引っかかる」

草薙は改めて文章を見た。

「法螺でないことを、なぜ湯川から教わることになるんでしょう」

「さっぱりわからんな」間宮は肩をすくめ、頭を振った。

草薙は立ち上がり、上着を手にした。「湯川のところへ行ってきます」

彼が警視庁を出たところで携帯電話が着信を告げた。内海薫からだった。

「ちょうどよかった。これから湯川のところへ行く。おまえも向かってくれ」

「もう向かっています。そのことをお知らせしたくて電話をかけたんです」

「何かあったのか」

「湯川先生から連絡があったんです。新たな怪文書が届いたそうです」


文書は前回と同じく、Ａ４の紙に印字されていた。

『ごきげんよう。警視庁の捜査員たちは来たかな？　もしまだ来ていないとしても、近々訪れることになる。その理由はほかでもない。君が彼等を呼ぶからだ。

じつは、君にやってもらいたいことがある。その内容はいたって簡単だ。インターネットで、あるサイトにアクセスし、そこに記されている内容を捜査員たちに見せてくれるだけでいい。

アドレスは以下に記す。心配しなくていい。単なる映画の公式ホームページだ。その映画に興味を持ってもらう必要もない。

アクセスしたら、映画の感想を述べるコーナーがあるから、そこを覗いてみてくれ。今月十九日に、「作業員」という人物が書き込んでいる。君には何の変哲もない退屈な文章にしか見えないだろう。しかし捜査員たちが目にすれば、必ず驚くはずだ。そして悪魔の手を信じることになるだろう。

悪魔の手』

薫は文書から顔を上げた。仏頂面で座っている湯川と目が合った。

「今朝、物理学科の郵便受けに入っていたらしい」彼はいった。「どういうことなんだ。この件について、僕が巻き込まれることはないと思っていたんだけどね」

「俺たちがそう仕向けたわけじゃない。犯人が勝手に巻き込みたがっている」草薙が言い訳した。「それより、このホームページは見たのか」

すると湯川は座ったままで床を蹴り、椅子のキャスターを滑らせた。パソコンデスクの前に移動すると、素早くキーボードを打った。間もなく、モニターに派手な映像が現れた。ＢＧＭ付きだった。

彼はマウスを操作し、画面を切り替えた。映画の感想文を書き込めるようになっている。もちろん閲覧することも可能だ。

「犯人が君たちに見せたがっているのは、どうやらこの書き込みらしい。たしかに何の変哲もない、ただの文章だ」

薫は草薙と共にパソコンに近づいた。四角い枠の中に文章が書き込まれている。タイトルは、『愛を込めて』となっている。内容は以下のようなものだった。

『皆さんの感想を読んで、私も見に行きたくなりました。20日、見に行きます。今から楽しみです。では皆さん、お元気で。両国の建築中のビルより愛を込めて。感動のあまり、落ちないようにしないと。

40代男　作業員　2008　05/19　22:43』

薫は草薙と顔を見合わせた。犯人から届いた第二の文書の内容については、ここへ来る前に聞いていた。

「その様子を見ると、どうやら怪文書の差出人は、でたらめを書いたわけではなさそうだな」湯川はいった。「この文章の何が、君たちをそんなにあわてさせるのかな？」

草薙が険しい目を彼に向けた。

「予告状だよ、湯川。これは犯行予告だ」

「予告？」

草薙は事情を話した。湯川の表情がみるみるうちに曇っていった。

「そんな事故が起きていたのか。両国の建設中のビルで作業員が転落死ね。偶然にしても出来すぎている。しかも日付まで一致しているとは……」

「事故を知ってから、それに内容が一致しそうな文章をインターネット上から探し出した、とは考えられませんか」薫はいってみた。

「可能性がゼロではないが、かぎりなく低いと思う」湯川はいった。「書き込んだのは事故の起きる一日前か。たしかに、犯行予告だ」

「だけど通常の場合、予告するのは犯行前だ。こんなふうに、後になってから、じつは予告していたなんていうケースはあまり聞いたことがない」草薙がいった。

「今回の犯人の場合、予告状を書く理由が特殊だからだ。たまたま起きた死亡事故に便乗していると思われたくないから予告しているわけだ。しかし、だからといって予告状の存在を先に知らせておくと、当然のことながら犯行が困難になる。それで後になってから知らせてきたというわけだ」

　草薙が唸り声を漏らした。

「両国の死亡事故を調べてみよう。殺人だとしたら、えらいことだ」

「でも、そんなこと出来るんでしょうか。事故に見せかけて、人を突き落とすなんてこと。所轄が事故と判断したのは、怪しいところが全くなかったからだと思うんですけど」薫は湯川に向かっていった。

　物理学者は口元を曲げ、かぶりを振った。

「さあね。仮説を立てるにも、材料が少なすぎる。それにいつもいっていることだが、僕は犯罪に関しては素人だ」

「でも先生は以前、見えない力ならいくらでも存在するとおっしゃってましたけど」薫は訊いてみた。

「存在するよ。たとえば磁力だ。さらには万有引力。こうして話している君と僕の間にも引力は存在する。だけど今回の犯人が何を使っているのかは、僕にもまだわからない。見当もつかない。とにかくデータを集めることだ。犯人が魔法を使っているのでないかぎり、必ずどこかに痕跡が残っているはずだ。そして魔法なんてものは、この世には存在しない」湯川の口調は次第に熱いものに変わっていった。

「どういうデータを集めればいいですか。必要なものをいってください」

「まずは事故に関する資料がほしい。それと現場も見ておきたい。当日の天候、現場周辺で何があったかなど、わかることなら何でもいい」

「わかった。内海に材料を揃えさせよう」草薙は立ち上がった。

「ただ、ひとつだけ気になることがある」

湯川の言葉に草薙は振り返った。「何だ」

「犯人はなぜこんな危険なことをしたんだろうな。ホームページにこんな書き込みをしたら、すぐに警察にパソコンを特定されてしまう」

「ネットカフェか何かを使ったんだろ」

「おそらくそうだろうが、それにしても危なっかしいやり方だ。ネットカフェの防犯カメラに映っている可能性だってある。僕が犯人なら、こんなやり方はしない。インターネットというのはいかにも匿名性が強そうだが、身元を隠すという意味では、郵便のほうがはるかに安全だ。実際、犯人は怪文書を郵便で送ってきている。プリンタやワープロソフトが特定されるというデメリットはあるが、いずれも世の中に氾濫しているものので、そこから足がつくリスクはゼロに等しい。違うかい？」

湯川の問いかけに草薙は渋い顔だ。実際、犯人からの手紙を分析した鑑識の見解は、犯人を絞り込むことは困難だというものだった。

「犯行予告を郵送するというんですか」薫は訊いた。

「そうだ。犯行当日、警察宛に郵送する。予告状が届くのは翌日だから、犯行を妨害される心配はない。また郵便物の消印には時刻まで記録されるから、犯人が犯行前に投函したことも証明できる。なぜそうしないのか」

薫は草薙のほうを見た。

「たしかにその通りですね」

草薙は眉間に皺を寄せた。

「犯人側に、何か事情があるのかもしれんな」

「僕もそう思う」湯川がいった。「その事情がわかれば、『悪魔の手』の正体も見えてくるんじゃないかな」

「なるほど。心に留めておくよ」

研究室を出た後、草薙は薫を見て、にやりと意味ありげに笑った。

「犯人のやり方は癪に障るが、ひとつだけいいことがある。湯川をその気にさせたことだ」

「同感ですね。でも、それが犯人の狙いでもあるわけですよね。湯川先生にも見抜けないという自信があるんじゃないでしょうか」

「そうなんだろうが、湯川は負けないよ。もちろん、俺たちだって負けるわけにはいかない」そういった草薙の顔には刑事特有の厳しい眼光が戻っていた。

4

男はアクセルを踏んだ。後から近づいてくる車がないことを確認し、右車線に移動した。さらに少し速度を上げる。やがて左車線を走っている赤い乗用車に追いついた。横目で運転席を窺う。ハンドルを握っているのは若い女だった。後部座席はスモークガラスのために見えない。助手席には誰もいないから、一人で乗っているのだろう。

首都高四号新宿線の上り車線を走っている。速度計に目をやると、八十キロを優に超えていた。男はアクセルを調節し、女の車と併走する。

間もなく代々木PAだ。右手でハンドルを握ったまま、左手でシートの横を探った。据え付けたスイッチが指に触れた。躊躇わず、スイッチを入れる。

タイマーは十二秒にセットしてある。時間が来れば電子音が鳴る仕掛けだ。それが鳴るのを待ちつつ、男は慎重にアクセルを調節した。ターゲットをしっかりと捉え、併走する。十二秒が長く感じられた。

長い直線が続く。その先には右への急カーブがある。さらには間髪を入れず、左への急カーブが待っている。有名な事故多発地点なのだ。

電子音が聞こえた。男は思いきりアクセルを踏み込んだ。車はぐんぐん速度を上げていく。ルームミラーに赤い車が入った。ふらふらと蛇行を始めているのが見えた。

しかし確認出来たのはそこまでだった。カーブが続くために視界が遮られてしまうからだ。彼は速度を落とし、後続車が姿を現すのを待った。

やがて白い車が見えた。さらには青い車。例の赤い車は現れない。

うまくいったようだな——彼は口元を緩めた。まんまと事故を起こしてくれたらしい。

問題は、その被害がどの程度か、ということだった。

彼は次の出口で高速道路を降りることにした。助手席には無線機を置いてある。東京消防庁の救急無線を聞くのが楽しみだった。

上田涼子は切れ長の目を大きく見開いた。それまでは青白かった頰に、ほんのわずかだが赤みがさしたようだ。

「父は殺されたというんですか」その声はかすれていた。

「いえ、まだそう決まったわけではありません。捜査の途中なんです」草薙は穏やかにいった。

「でも、本所署の刑事さんは、事故ってことでまず間違いないだろうって……」

「その時点ではそうだったんです。ただ、その後からいろいろと情報が入ってきまして、事故だと決めつけるのは早計だろうということになったんです」

「何ですか、情報って」上田涼子は当然の質問をしてくる。

草薙は用意しておいた嘘を使うことにした。

「じつはほかにも、単純な転落事故に見えて、実際には他殺だったというケースが確認されているんです。上田重之さんが亡くなられた状況が、そのケースと似ているものですから、こうして念のためにお伺いしたわけです。ですから、現時点では、事故と考えておられて結構だと思います。あくまでも、念のためにやっていることです」

草薙は、念のため、という言葉を繰り返した。怪文書のことは遺族には話すな、と間宮からはいわれている。

被害者の遺族と会うのは気が重い。特に胸が痛むのは、被害者の死が他殺によるものだとは、遺族が露ほども思っていない時だ。単なる事故なら諦めがつくところを、他殺と知ったことで彼等は別の感情を抱えることになる。恨みを持つのは当然のことながら、なぜ、という深い疑問が生じる。なぜ自分たちの愛する者が殺されねばならないのか――ある意味、これほど悲しい疑問はない。どんなに説明されても、たとえ加害者本人の自白があったとしても、納得できる日などこない。悲劇を思い出すたびに、なぜなのかと苦悩し続けることになるのだ。

草薙は内海薫と共に上田重之の家を訪ねていた。二階建てアパートの一階で、間取りは2DKだ。玄関から入ってすぐのところにあるキッチン兼ダイニングルームで、テーブルを挟んで上田涼子と向き合っている。彼女は上田重之の一人娘だった。五年前までは同居していたが、今は勝どきで独り暮らしをしているらしい。母親は二年前に癌で他界したということだった。

「仮に……仮にですね、上田重之さんが亡くなられた原因が単なる事故ではなかったとして、何か思い当たることはありませんか。どんな些細なことでも結構なんですが」草薙はいってみた。

上田涼子は釈然としない顔つきで首を振った。

「そんなのありません。うちの父は気が弱くって、お酒だってあまり飲めなくて、人と揉め事を起こしたことなんて殆どなかったんです。うちの父を恨んでた人なんて、絶対にいないと思います。昨日のお葬式でも、みんなそういってました」

「重之さんと最後に話をされたのはいつですか」

「先週です。父のほうから電話をかけてきました。おかあさんの三回忌はどうしようって……まだずいぶん先のことだったんですけど」上田涼子は俯いた。

草薙は内海薫のほうを見た。何か質問はあるか、と目で尋ねた。

「上田重之さんは、塗装工として、かなりのベテランだと伺っています」内海薫が口を開いた。「高所作業にも慣れていて、それで命綱を使っていなかったんだろうということです。そういったことで、重之さんと何か話をされたことはありますか」

上田涼子がかすかに顔を上げた。睫《まつげ》がぴくぴくと動いた。

「前に父が話してたことがあります。歳を取ってくるとバランス感覚が衰えてくるから、これからは用心しなきゃいけないって。でも安全帯とかをつけてると、やっぱり作業が遅くなるから、つい怠っちゃうことがあるともいってました。気をつけてねって何度もいってたのに……」終わりのほうは涙声になっていた。

重たい気持ちを抱えたまま、草薙たちは上田家を辞去した。

「犯人には上田さんを殺す動機なんかはなかったんじゃないかな」草薙は歩きながらいった。「事故に見せかけて誰かを殺そうと思っていたら、たまたま上田さんが目についた。安全帯もつけてない。それで狙うことにした。それだけのことだと思うよ」

「私も同感です。問題は方法ですよね」

「離れたところにいる人間を転落死させる方法か。そういうことになると湯川頼みだが、参考になりそうな材料は何もないしなあ」草薙は顔をしかめ、頭を掻いた。

両国で起きた転落事故については、本所署の担当者からも資料を貰ったし、現場監督やほかの作業員からも話を聞いた。その結果、事故が起きた時、上田重之の周りには誰もいなかったということははっきりした。建物が揺れるような衝撃があったとか、人のバランスを崩させるような突風が吹いたとかいう事実も確認されていない。本所署が早々に事故と断定したのも頷けた。

二人が警視庁に戻ると、岸谷が書類を持って草薙に近づいてきた。

「どんな具合だ?」草薙は訊いた。

「これまでのところ、死亡事故は起きていません。交通事故は百三十二件で、負傷者は百十八人。そのうち重傷は三十五人ですが、命に別状はないようです。その他の事故は、こちらに連絡が来ているかぎりでは十三件。酔っ払って階段を踏み外したとか、年寄りが薬を喉に詰まらせたとか、そういう感じの事故です。高所からの転落事故はありません」岸谷が書類の内容を読み上げた。

「やれやれ、相変わらず事故が多いな東京は。それだけ多いと、その中の一つぐらいは犯人の仕業じゃないかって気になってくる」

「それが犯人の狙いだと思います」薫は草薙にいった。「たった一度だけ、事故に見せかけた犯行を成功させたことで、実際以上に力を大きく見せかけられるわけです」

「その通りだと思うよ。だが問題は、たった一度きりにせよ、そういうことが出来たという点だ。これは見逃せない」

「それは……そうですね」薫は目を伏せた。

現在この『悪魔の手』事件については、草薙のグループだけで捜査が行われている。

事件なのかそうでないのか、まだ断定できないからだ。例のインターネットによる予告状については間宮を通じて上に伝わっているはずだが、これといった指示は降りてこない。上層部も困惑しているのだろう、というのが草薙の説だ。

そこへ間宮がやってきた。顔つきが険しい。持っていた一枚のコピー用紙を草薙のほうに差し出した。「また来た。犯人はなかなかの筆忠実《ふでまめ》らしいな」

草薙がコピー用紙を受け取った。薫は岸谷と共に横から覗いた。

『親愛なる警視庁の諸君へ。

両国の転落事故が私の力によるものだということはわかっていただけたと思う。今頃君たちは、私がどのようなトリックを使ったのかを懸命に調べているのだろうが、無駄な努力といわざるをえない。君たちに悪魔の手の正体を見破ることなど不可能だ。

さて、悪魔の手の存在を証明したところで、こちらから要求がある。といっても大して難しいことではない。むしろ、君たちにしてみれば当然の義務だ。

それは私の存在を広く世間に知らせることである。刑事部長か捜査一課長が記者会見を開くことを希望する。その際、これまでの犯行予告と犯行声明を公表してくれても一向に差し支えない。

ただし、そうした場合に一つだけ懸念されることがある。悪魔の手を騙《かた》る偽物の出現だ。

そこで本物と偽物を見極める方法を授ける。それが同封した乱数表である。今後、私からの手紙には、必ずその表に基づいた数字を最後に書き込む。それがないものは偽物である。また、一度使用した数字は二度と使用しない。この乱数表は大切に保管すること。それがお互いのためである。

悪魔の手　あ行B列　55』

「何ですか、これは」草薙がいった。

「書いてある通りだ。犯人が要求を出してきたってことだ」

「世間に公表する、というのが要求項目ですか」

「そういうことのようだ」

草薙は、ゆらゆらと頭を振った。

「何を考えてやがるんだ。そんなことをして、何の得があるというんだ」

「相当に自己顕示欲が強い人間らしい、というのが課長や管理官の意見だ」間宮がいう。

「で、どうするんですか。記者会見を開くんですか」

「開くわけないだろう。そんなことをすれば、犯人の脅迫に屈したことになる。公表するメリットもないしな。とりあえずは無視するというのが上の考えだ」

「無視されて犯人がどう出るか、ですね」草薙は頷きながらいった。

「この乱数表というのは？」薫は訊いてみた。

「手紙と一緒に封筒に入っていた。五行五列の升目に、二桁の数字が書き込まれている。

手紙の最後に、『あ行B列　55』とあるだろう。それはその升に55という数字が入っているという意味だ。これを正しく書いてない手紙は偽物だから用心しろってことだ」

「偽物が現れることまで心配してるってことは、どうやら犯人は自分の要求が通ると思ってるようですね。ずいぶんと舐められたものだ」草薙が吐き捨てる。

「最初の犯行がうまくいったんで図に乗ってるんだろう。これ以上増長させないためにも、犯人がどんな手を使って転落事故を起こさせたのか、早急に解明するんだ」

間宮の指示に、わかりました、と草薙は気合いのこもった返事をする。だがそれを横で聞きながら薫は不安に襲われていた。要求を無視された犯人が次の犯行に及ぶおそれは十分にある。それまでに自分たちが『悪魔の手』の正体を突き止めることなど到底不可能のように思えた。

5

首都高六号向島線は、比較的順調に流れていた。箱崎の合流点はスムーズだったし、そのまま駒形、向島と順調に走ってきた。走ってきてしまった、といったほうが適切かもしれない。要するに、希望通りのシチュエーションが発生しなかったということだ。ハンドルを握ったまま、男は頻繁にルームミラーやサイドミラーに視線を走らせた。

周囲の車の位置関係を把握するためだった。

最初の狙い目は江戸橋ＪＣＴから箱崎ＪＣＴにいたるルートだった。どちらの分岐点も交通量が多く、分流と合流が細かく連続している。そのくせ速度が緩くなることもないから、事故が起きやすい。

しかし誤算があった。肝心のタイミングで、彼の運転する車のすぐ横にトラックが来てしまったのだ。装置の角度はトラックを想定していない。ターゲットは出来ればバイク、そうでなくても乗用車である必要があった。

まあ焦る必要はない、と彼は自分自身にいい聞かせた。この先に、いくらでもチャンスがある。その一つが、今向かっている堀切ＪＣＴだった。

先日の首都高四号新宿線ではしくじった。あの赤い車は側壁に接触する事故を起こしたが、運転手は腰と肩に軽い傷を負っただけだった。命に別状はなく、救護隊に対して口をきけるほど意識もはっきりしていた。そのことを彼は、救急無線を傍受することで知った。

やはり交通量が多く、スピードが出ていて、いくつかの車線が入り乱れるところのほうが死亡事故に繋がりやすい――そう考えて、今日のルートを考案した。しかもそのルートには、複数の事故多発地点が含まれている。たとえうまくいかなくても、すぐに次のチャンスが巡ってくるというわけだ。

どうやら警察は『悪魔の手』について公表する気はないようだ。単に虚勢を張っているだけなのか、『悪魔の手』の力を信用していないからなのかはわからない。しかしいずれにせよ、第二の事件が起きれば黙ってはいられないだろう。もしそれでも黙っているようなら、こちらから仕掛けていく手はある。

堤通を通過した。やがて右側から道路が迫ってきた。中央環状線内回りだ。

男は慣れたハンドルさばきで合流した。途端に車の数が増えた。東北道を目指す車が次々に左へ入ってくる。彼は中央車線に移った。そのまま進めば常磐道だ。

一台の車に目をつけた。比較的車高のある軽自動車だ。左端の車線を走っているから、東北道に乗る気らしい。

彼はアクセルを調節した。ターゲットにした軽自動車の横に並ぶ。横目でちらりと運転手のほうを窺った。痩せた老人だった。同乗者はいない。

男は左手で例のスイッチを操作した。ハンドルを持つ右手の内側に汗が滲んでくる。しばらくして再び横目で隣の車を窺った。運転手が頭を振っているのが視界に入った。効いてきたなと思った時、電子音が鳴った。男はアクセルを踏み込んだ。ターゲットの軽自動車を瞬く間に引き離した。ルームミラーに、その車体が映った。

次の瞬間、軽自動車が激しく蛇行を始めた。ついには車線を大きくはみだした。後方から突っ走ってきたトラックがクラクションを轟《とどろ》かせた。さらには急ブレーキを踏んだようだ。

　だがいずれも間に合わなかった。トラックに追突された軽自動車は、弾かれたように左側の防護壁に激突した。時間にして二、三秒の出来事だった。それらの一部始終を、彼はルームミラー越しに目撃した。

　彼は笑いだした。本当におかしい時、声を出さずに笑うのが癖だった。

　彼の運転する車は、勢いよく常磐道へと入っていった。

　せっかくだから、このままドライブでもするか――ステレオのスイッチを入れ、お気に入りの音楽を鳴らした。


　鉄骨で組まれたビルの軀体を見上げ、湯川は眩しそうに目を細めた。その顔つきは険しい。

「このビルの一番上から転落したわけか。それじゃあ、ひとたまりもないな」

「ほぼ即死だったみたいです。病院に運ばれることもなかったとか」薫はいった。

「その上田さんという人は、いつからここの工事に携わっていたんだろう」

「先々週からだそうです。さび止めの塗装をするために雇われていたという話です」

「事故の前も、ずっと上で作業をしていたのかな」

「そういうことらしいです。事故の三日前に、最上部の塗装に取りかかったと聞いています」

「つまり、このビルの上で安全帯をつけないで作業している人間がいることを、犯人は事前に知ることが出来たというわけだ」湯川は上を指差した。

「そういうことになりますけど」薫はビルの躯体を見上げた。「下からだと、なかなか気づかないと思いますけどね」

「たしかにそうだな」湯川は周辺をぐるりと見回した後、遠くを指した。「あの建物はどうだろう。屋上に上がれそうだが」

そこにあるのは巨大スーパーマーケットだった。屋上は駐車場になっているようだ。

「行ってみましょう」薫は、路上に停めてあるパジェロに向かって歩きだした。

屋上の駐車場に上がり、二人は車から降りた。湯川は建築中のビルのほうを向いた。腕を伸ばし、親指を立てた。

「何をしてるんですか」

「距離を測っている」

「えっ？」

「僕の目から右手親指までの長さが約七十センチ、親指が約六センチ。今こうして見ると、親指の長さが、ちょうどビルの一階分と一致する」湯川は片目を閉じ、親指とビルの鉄骨とを重ね合わせている。「一階分を三メートルだとすれば、ここからビルまでの距離は約三十五メートルということになる」

　薫はしげしげと物理学者の顔を眺めた。

「数学をそんなふうに日常生活に使う人って、初めて見ました」

「これは数学じゃない。算数だ。比例というのは、小学校の教科書に載っているはずだ」湯川はさらりといい、腕組みをした。「ここからだと、作業員の様子を確認することは可能だな。双眼鏡を使えば、安全帯をつけているかどうかもわかるだろう」

「でも、ここからどうやって転落させるんですか」

　湯川は再びビルに向かって腕を伸ばし、指で銃の形を作った。

「昔、野球場で、マウンド上のピッチャーの目をレーザーポインタで狙うという事件があった。三、四十メートルなら、市販のレーザーポインタでも十分に到達する」

　薫は息を呑んだ。

「犯人は高所作業中の被害者の目をレーザーで狙ったということですかっ」

「可能性はある」

「たしかにそれならあり得ると思います。目がくらんだら、立ってるのも大変になりますからね」薫は早口になっていた。長いトンネルの中で、ようやく仄かな明かりを見つけたような気持ちだった。

　だが湯川は浮かない顔だ。

「どうしたんですか。その説、私は大いに妥当性ありだと感じましたけど」

「違うな」彼はかぶりを振った。「前に聞いたことがある。ベテランの職人には、独特の勘というものが備わっている。長い年月をかけて培われたものだ。死亡した職人が安全帯をつけていなかったのは、それなりの自信があったからだ。そんなベテランが、たかが目がくらんだぐらいのことで転落するわけがない。それにもう一つ」人差し指を立てて続けた。「前にもいったと思うが、犯人は自分のことを科学者だと思っている。それならば、どこかにオリジナリティがあるはずだ。市販のレーザーポインタを使ったりはしない」

「じゃあ、何を使ったというんですか」

「離れたところから人間に何らかの影響を与える方法……か。レーザーは光。光でなければ電磁波、あるいは……」湯川は口を閉じ、思考の世界に籠もってしまった。

物理学者の黙考は、その後も続いた。薫は彼を大学まで送り届け、自宅の駐車場にパジェロを置いた後、警視庁に戻った。

「どうだった？」草薙が期待の込もった声を投げかけてきた。

薫は黙って首を振った。草薙は渋い顔で頭を掻いた。

「さすがの湯川も手こずってるか」

「今日の死亡事故はどうでしたか」

「相変わらず交通事故が多い。百十九件だ。死亡事故は、今のところなし。ただ、一件だけやばいのがある。堀切ＪＣＴで軽自動車が事故を起こしたんだが、運転していた男性が意識不明の重体だ」

「事故の原因は？」

「今のところ、居眠り運転の可能性が高いということだ。事故を起こす前に軽自動車が蛇行しているのを何人かが目撃しているらしい」

「それなら『悪魔の手』とは無関係みたいですね」薫は椅子に腰を下ろした。

「ところで、例のことを湯川に訊いてくれたか？」

「例のこと、というと催眠術ですか」

「ああ」

「訊いてみました。その道のことは詳しくないから何ともいえないけど、仮に人を意のままに操れるような催眠術が存在したとしても、今回の事件とは無関係じゃないか、とおっしゃってました」

「どうして？」

「事故が起きた時点では、犯人は被害者の名前すら知らなかったと思われるからです。もし知っていれば、予告状のほうに書き記したはずです。犯行声明文のほうには書かれていましたが、新聞記事などを参考にした可能性が高いです。催眠術をかけられるほど犯人が被害者に近づいたのなら、当然名前だって聞き出せたはず——以上が湯川先生の推理です」

「なるほどな。たしかにそうだ」草薙は口元を曲げた。「催眠術なんかを持ち出したことで、奴は俺のことを馬鹿にしてなかったか」

「いえ、感心しておられました」

「感心？　どうして？」

「以前と比べて発想が広がっている、と。頭が柔らかくなったのかもしれないとも」

「ふうん。それはそれは。褒められて光栄だと伝えておいてくれ」草薙は椅子を回転させ、薫に背中を向けた。


朝刊の社会面を睨んでいた男は、目的の記事を見つけて色めき立った。だがその内容を読み、舌打ちした。

二十六日午後五時頃、首都高中央環状線内回りの堀切と小菅間で、軽乗用車とトラックなど計四台が絡む事故があり、軽乗用車が大破、男性一人を救出したが意識不明の重体。トラックの運転手一人が軽傷。——そういう記事だった。

男はパソコンのモニターに視線を移した。そこには、すでに出来上がった文面が表示されている。後は印刷するだけでいい。

だが印刷するのは、まだ早いようだ。

まあいいか——彼はほくそ笑んだ。楽しみが少し先に延びただけのことだ。どうということはない。

この文章を読んだ時、あの卑劣な物理学者がどんな顔をするか、出来るものならこの目で見てみたい。男は心の底からそう思った。

6

薫が草薙と共に研究室に入っていくと、渋面の湯川が腕組みをして待っていた。彼はパソコンを置いた机の前にいる。

「手紙は？」草薙が訊いた。

これだ、といって湯川は机の上に置いてあった書類を取り上げた。細長く折り畳まれている。

草薙は立ったままでそれを開いた。薫も横から覗き込んだ。

『ごきげんよう。またしても君にやってもらいたいことが出来たので筆を執った。といっても、前回と同様に難しいことではない。例によって、あるサイトにアクセスしてくれるだけでいい。

見ればわかると思うが、某プロ野球チームの公式ホームページにある掲示板だ。今月の二十五日に、「蛇行運転者」というハンドルネームで書き込みをしているから確認してほしい。いずれ前回のように捜査員が来るだろうから、彼等に見せてやってくれ。

　ではよろしく。　　　　　　　　　　　　　　　　　　　　　　　悪魔の手』

「蛇行運転者……か」草薙が呟いた。「で、その掲示板を確認したのか」

「これがそうだ」湯川がパソコンのモニターを指した。

　そこには某プロ野球チームのファンたちによる書き込みが表示されていた。たしかに二十五日の夜、『蛇行運転者』というハンドルネームで投稿されていた。『皆さんも御注意を』というタイトルがついている。

『皆さんも御注意を　蛇行運転者　25日20時18分
　昨日はなかなかいい試合でしたね。今後も期待しましょう。
　勝利の瞬間、私は首都高を走っていました。堀切JCTから小菅JCTの間です。感激のあまり、ハンドルを離しそうになりましたよ。ラジオを聞きながらの運転には注意しましょうね。明日26日も、同じコースを走ります。気をつけなくては。』

　草薙が薫のほうを向いた。目を合わせ、彼女は頷いた。

「やはり、予告状なのか」湯川が訊いてきた。

「間違いない。ついさっき、係長からこれを見せられた。今朝、課長宛に届いたそうだ。

それで、おまえに連絡したというわけだ」草薙は一枚の書類を差し出した。

その内容については、薫も一緒に見たからわかっている。以下のようなものだ。

『親愛なる警視庁の諸君へ。

悪魔の手について、新たにデモンストレーションを行った。二十六日の午後五時頃に、石塚清司という人物が首都高で事故を起こしたはずだが、それは私の力によるものだ。前回と同様に予告を行っているから、Y准教授のところへ行くといい。どこに予告が書いてあるのか、教えてくれることだろう。

悪魔の手　い行C列　78』

湯川は書類から顔を上げた。

「で、実際にそういう事故が？」

草薙は頷いた。

「起きている。堀切ＪＣＴから小菅ＪＣＴの間で、軽乗用車が壁に激突した。二十六日のことだ。運転していた男性は意識不明の状態で病院に運ばれたが、結局死亡したらしい」

「そこは事故多発地点なのか」

「たしかに多い。だけど、死亡事故が年に何件も起きているわけじゃない」

湯川は足を組み、ロダンの彫刻のように頬杖をついた。

「そうなると、偶然じゃないな。犯人は何らかの形で、その事故に関与していると考えたほうがよさそうだ」

「ところが、これまた不審な点は何もない。目撃者の話では、軽自動車は突然蛇行を始め、後続のトラックに追突された挙げ句に壁に激突したらしい。つまり典型的な居眠り運転のパターンなんだ。事故処理に当たった警官たちも、トラック運転手の前方不注意を疑っていたから、かなり綿密に調べたそうだ。それでもおかしな点は見つからなかったというんだ。男性は一人で乗っていて、同乗者はいない。アルコールも飲んでいない。車に何らかの細工が施された形跡もない。どこからどう見ても、単純な事故なんだ」

「しかしそれでは、この予告状を説明できない」湯川はパソコンの画面を指した。「前の転落事故についてはは、その後何かわかったのかい」

「被害者は、これまでに一度も作業現場から落ちたことなんてなかったし、落ちそうになったこともなかった、ということはわかった」草薙が答えた。

「つまり犯人は、高所に一人でいるベテラン作業者を転落させ、運転中のドライバーにハンドルを切り損なわせたわけか。なるほどね。『悪魔の手』を持っている、と豪語したくなる気持ちもわかる」

「第二の犯行声明文が届いたことで、上もかなり慌てている。予告状が存在したとなれば、いよいよ無視できなくなるだろう。頼む、湯川。何とかして、『悪魔の手』の正体を突き止めてくれ。敵は明らかにおまえに挑戦しているんだ」

湯川は両手を広げた。

「僕に挑戦して何の意味がある。犯罪者なら警察に挑戦すればいい。僕に勝ったところで賞品なんて出ない」

「そうはいっても、犯人がおまえのことを意識しているのは確実なんだ。そうでなければ、予告状を書いた掲示板の場所を、おまえのところに知らせてくるなんていう面倒なことはしないはずだ。おまえが必ず事件に絡むよう、犯人が仕向けてるんだよ」

「それはそうかもしれないが、僕としては迷惑なだけなんだがな……」湯川はパソコンを見つめた。「犯人は、今回もインターネットを使ったわけか」

「前回の予告状の際、犯人が池袋のネットカフェからアクセスしたことは突き止めた」草薙がいった。「ただそこは身分証がなくても入れる店で、犯人を特定するのは難しい。防犯カメラを分析したが、手がかりはなさそうだ」

「今回、犯人が同じ店を使った可能性は低いな。そこまで大胆なことはしないだろう。それにしても奇妙だ。なぜ犯人はインターネットにこだわるのか……」湯川は考え込む顔付きだったが、不意に背筋を伸ばした。「事故が起きたのは二十六日だといったな。今日は何日だ？」

「三十日です」薫が答えた。

「犯人が犯行声明文を投函したのは昨日の二十九日だ。つまり犯行から三日も経っている。その間、犯人は何をしていたんだろう。どうしてすぐに送ってこなかったんだ」

「そういえばおかしいですね。前回は、犯行が二十日で、文書が届いたのは二十二日でした。犯行の翌日には投函していることになります」

「犯人に何か事情があったのかもしれないな」草薙がいった。「犯人の野郎だって、仕事は持っているだろう。その都合で、文書を書いたり、投函したりする暇がなかったんじゃないか」

「いや、文書を書く時間ならあったはずだ。現に犯人は、二十五日の夜にはパソコンでインターネットの掲示板に書き込みを行っている。予告状を書く時間はあるのに犯行声明文を書く時間がないなんてことはないだろう。投函にしてもそうだ。どんなに仕事が忙しくても、封書をポストに入れるぐらいのことは出来るはずだ」

「それはまあ、そうだな」草薙は頭を掻いた。

「一体どういうことだ。どうして犯人は三日間も動かなかったのか」湯川は口元に手をやり、宙の一点を見つめた。

その時、草薙の携帯電話が鳴った。彼は懐から電話機を出し、失礼、と湯川にいいながら場所を少し移動した。口元を覆い、何やら話している。

「えっ、何ですって？」突然、草薙の声が大きくなった。「それで、課長たちはどうすると？　……そうですか。……はい、確認しました。やはり予告状が存在しました。プロ野球チームのホームページでした。……はい、わかりました」

電話を終え、草薙が戻ってきた。その顔つきは厳しい。

「朗報が届いたわけではなさそうだな」湯川がいった。

「面倒臭いことになった。内海、本庁へ戻るぞ」

「何があったんですか」

「犯人の野郎が、テレビ局に手紙を送りやがった」

えっ、と声をあげ、薫は腰を浮かせていた。

「両国の転落事故と堀切JCTでの事故について警視庁に問い合わせてみろ、という内容らしい。『悪魔の手』と名乗っているようだ」

「で、どうするんですか」

「混乱を避けるためには、先手を取って記者会見を開いたほうがいいかもしれないってのが、上の意見らしい。いずれにせよ騒ぎがでかくなるぞ。全く、くだらないことをやってくれるよ。——おい、湯川」草薙は携帯電話を握りしめたまま友人を見下ろした。「俺たちはおまえに迷惑をかけたくない。だけど今回にかぎっていえば、おまえが協力してくれることが、結果的におまえのためにもなる。それはわかるよな」

湯川は釈然としない表情ながらも、不承不承といった感じで頷いた。

「どうやらそういうことらしい。事件が解決しないかぎり、君たちはここへやってくるわけだからな」

「期待してるぜ。科学を殺人の道具に使う人間のことは絶対に許さないんだろ？」

草薙の言葉に、湯川の眉がぴくりと動いた。彼は薫にいった。

「首都高の事故に関する資料を集めておいてくれ」

わかりました、と彼女は答えた。

7

「――そういうわけで、我々としては『悪魔の手』なる人物からの文書が、果たして本気で書かれたものなのか、あるいは悪戯なのか、その時点で判断することは不可能だったわけであります。両国での転落事故が発生した後、悪戯でない可能性が高まり、どのような犯行がなされたのかを捜査中、首都高での事故が起きたということです」

仏頂面で話しているのは警視庁捜査一課の木村という課長だ。四角い顔で短髪、色黒で額が広い。

テレビから流れてくるのは、今日の午後に開かれた会見の録画映像だった。男はニュース番組をはしごして、同じような映像を何度も見ている。

「『悪魔の手』がどういったものなのかということについては、まだ何もわかってないわけですか」記者から質問が出た。

「現在、専門家の意見を聞いたりして調査をしているところです」捜査一課長が、つかみどころのない回答でかわそうとする。

「その専門家というのは、一時話題になった物理学者ですか」

「我々は捜査において、様々な分野の専門家に協力していただいています。特定の方を指していったわけではありません」

「テレビ局に送られてきた文書には、これまでにいくつかの怪事件を解決した科学者も今度ばかりはお手上げだろう、というような記述があるそうですが、これについてはどうお考えですか」

「特に何もありません」

木村の険しい表情がアップになったところで、映像は男性アナウンサーに切り替わった。次のニュースが始まるのを確認し、男はリモコンを使ってテレビを消した。そのまま床の上で大の字になった。

自然と笑いがこみ上げてきた。

ついにやった。警察に『悪魔の手』の存在を認めさせた。それだけではない。そのことを世間に公表させた。いわば『悪魔の手』の力にお墨付きが得られたようなものだ。

ようやくここまでこぎつけた、と彼は思った。自分が本気になれば、警察などどうにでもなる。そもそも、世間が自分の力を認めないことのほうが理不尽なのだ。

彼は起きあがり、パソコンのほうを向いた。文書作成用のソフトを立ち上げ、キーボードに両手の指を軽く載せる。まずは、『親愛なる警視庁の諸君へ』と、いつも通りの書き出しを打ち込んだ。それから、さて、と考えた。

問題は、ここから先だ。どのような文章にすれば効果的か。どんなふうに宣言すれば、『悪魔の手』の力を世間の連中に知らしめることが出来るだろうか。

思いつくままにキーを叩いていく。モニターに表示された文章を眺め、男は唇を綻《ほころ》ばせた。人生が突然楽しくなったような気がした。


『親愛なる警視庁の諸君へ。

先日の捜査一課長による会見はなかなかよかった。おかげで「悪魔の手」の名称は、一夜にして日本中に知れ渡ることになった。インターネットで検索したところ、すでに二十万件以上がヒットする。ブロガーたちにも楽しいネタを提供できたようで満足だ。

こうなってくると懸念されるのが、先の手紙でも取り上げた偽物の出現だ。巨大掲示板などでは、早くも「悪魔の手」を名乗る者たちによる書き込みがあるのを御存じかな。

警察としても、偽物が続々と出てくるような状況は望んでいないはずだ。

そこで忠告だが、例の乱数表は厳重に保管し、その内容が絶対に外部に漏れないよう注意してもらいたい。もしそれが守られなければ、君たちはとてつもなく面倒な作業を強いられることになるだろう。その意味はいずれわかる。

では新たな展開が訪れるのを楽しみにしていたまえ。　悪魔の手　お行C列　61』

草薙は、ため息をつきながらコピー用紙を机に置いた。間宮と多々良が会議机に向かっている。

「完全に調子に乗ってますね。タレントにでもなった気ですよ、これは」

多々良が、ふんと鼻を鳴らした。

「テレビのワイドショーなんかでも取り上げているらしいからな。まあ、それはいい。それより、犯人の狙いは何だと思う？」

草薙は首を捻った。

「これを読んだかぎりでは、何を考えているのかよくわかりません。ただ、犯人がやけに偽物のことを気にしているのはたしかなようですね。実際、ここにも書かれていますが、インターネット上には偽物がちらほら現れているみたいです。今、岸谷にチェックさせていますが」

「それが偽物だというのは間違いないのか」間宮が訊く。

「書いてある内容などから、おそらく偽物だろうと思われます。もちろん、決めつけは禁物ですが」

多々良は椅子にもたれかかり、足を組んだ。

「一体、何を考えてるんだろうなあ。二つの犯行が成功したわけだから、今度は金銭でも要求してくるのかと思っていたんだが」

その時、ドアをノックする音が聞こえた。どうぞ、と多々良が答えた。

ドアが開き、岸谷が顔を覗かせた。

どうした、と草薙が訊いた。

「じつは、四葉不動産の総務部の方が見えてるんですけど」

「四葉不動産？　何の用だ」

「それが」岸谷は唇を舐めた。「会社に、『悪魔の手』から脅迫状が届いたそうなんです」

何だと、と大声を発したのは多々良だった。

「その脅迫状を持ってきているのか」草薙は訊いた。

「持参しているようです。今、来客室で待ってもらっています」

草薙は間宮と多々良のほうを向いた。

「よし、話を聞いてみてくれ」多々良が間宮にいった。「もし、本物のようなら、すぐに知らせるように」

わかりました、と答えながら草薙は腰を上げた。

だが来客室で相手が出してきた脅迫状を見て、草薙はすぐに偽物だと確信した。これまでに送られてきた文書とは印字スタイルも文体も違っていた。そして決定的なことに、例の乱数表の数字が書き込まれていなかったのだ。

脅迫内容は、四葉不動産の工事現場で死亡事故を起こされたくなければ現金三億円を用意しろ、というものだった。授受の方法については別に連絡する、と付け足されていた。

四葉不動産の総務部長に、これは九分九厘偽物によるものだ、と告げた。

「そうなんですか。間違いありませんか」総務部長は不安げだ。

「詳しいことをお教えするわけにはいかないんですが、本物には偽物と区別する確かな目印があるんです。その脅迫状にはそれがありません」

「そういうことですか。それを聞いて安心しました」

「おそらく悪戯だと思いますが、『悪魔の手』事件に便乗して、良からぬことを本気で企んでいる可能性もあります。もし同様の脅迫状が舞い込んだ場合には知らせてください」

「わかりました。どうもありがとうございました。いやあ、いつもなら脅迫状ぐらいで狼狽えたりはしないんですが、『悪魔の手』と記してあるものだから慌てました」総務部長は心底安堵したようだった。

総務部長を帰してから、間宮がため息まじりにいった。

「癪な話だが、犯人の野郎が乱数表を送ってきたのは助かったな。あれがなかったら、今の件でも振り回されるところだった」

「乱数表が外部に漏れるようなことになれば、我々がとてつもなく面倒な作業を強いられると犯人が書いていたのは、こういうことだったのかもしれませんね」

「たしかに偽物が続々と現れたら、こっちはたまったもんじゃない」間宮はしかめっ面を作った。「とにかく『悪魔の手』の正体を暴くのが先決だな。何か手は打ってるのか」

「内海が現場を案内しています」

「案内？　誰を？」そういった後、間宮は合点したように深く頷いた。「それはいいな。期待しよう」

「車の中というのは、なかなか落ち着く。このところ、研究室の電話が鳴りっぱなしで、うんざりしていたところなんだ」助手席で湯川がいった。

「どうして電話が鳴るんですか」

「間の抜けたことを訊かないでほしいな。例の『悪魔の手』とかいう犯人がテレビ局に余計な手紙を出したからだ。自分を偉大な犯罪者だと思い込むのは勝手だが、怪事件を解決した科学者もお手上げだろう、なんてことを書くものだから、取材依頼が殺到して困っている。マスコミの間では、T大のY准教授というのが誰のことか、すでに知れ渡っているようだな」

「まあ、狭い世界ですからね」

「僕レベルの物理学者はごまんといる。たまたま友人が刑事だったから、これまで何度か捜査に協力しただけだ。素人探偵のような見方をされるのは極めて不本意だし迷惑だ」

「今度もし何かいってきたら、私に連絡してください。研究の邪魔をしないよう注意しますから。先生は、そんな取材に応じる必要はないです」

「いわれなくても、取材なんかは受けないよ」湯川はぶっきらぼうにいった。

薫の運転するパジェロは首都高中央環状線の内回りを走っていた。向島線からの合流を終え、小菅ＪＣＴに向かうところだった。

「それにしてもこのあたりは、たしかに事故の起きやすい条件が整っているな。交通量は多いし、短い範囲で合流と分流が続いている。カーブも多い」湯川が周囲に視線を配った。

「おっしゃる通りです。事故が起きたのは、この先です。東北道に向かう中央環状線と常磐道に向かう六号三郷線に分かれる直前の地点です」

湯川は前後左右にせわしなく視線を投げかけている。やがて吐息をついた。

「無理だな」

「何がですか」

「前にいったレーザーポインタで目を狙う方法だ。やはり現実的じゃない。運転手は常に前方を見ているわけだから、その目にレーザーを当てるには、犯人はすぐ前を走っていなければならない。犯人は複数で、レーザー係は後部座席に乗っていたとしても、車同士の位置関係がめまぐるしく変わる中、運転手の目を狙い続けるなんていうのは不可能だ。ほんのわずかな時間なら命中させることは出来るかもしれないが、それでは事故に繋がる確率は低い。それより、狙った相手に不審がられ、下手をすれば通報されてしまう。レーザーポインタ説は却下しよう」

「だったら、犯人は一体どうやって事故を起こしたというんですか」

「それがわからないから、こうして現場検証をしているんじゃなかったのか。――それにしても車が多いな。これだけの車が、こんなにスピードを出していながら、ぶつからずに慌ただしく車線変更を繰り返していること自体、奇跡のような気がする」

「前から訊こうと思っていたんですけど、湯川先生は運転免許をお持ちじゃないんですか」

「免許は持っている。身分証代わりになるからね」

「でも運転はしないんですか」

「その必要性を感じていない」

どうやらペーパードライバーらしい。だがその言葉を薫は敢えて口にはしなかった。

千住新橋の出口が近づいてきた。薫はウインカーを出し、車線を移った。

「堀切JCTは事故多発地点だといったね」

「そうです。首都高のホームページでも紹介されています」

「そうした地点は、ほかにもいくつかあるんだろうね」

「あります。たしか首都高だけでも十数カ所あったはずです」

「十数カ所か。都内では、一日にどれぐらいの交通事故が発生しているんだろう」

「日によってばらつきがありますけど、大体百件から二百件だと思います」

「首都高だけでは？」

「細かい数字は忘れましたけど、昨年一年間での事故数は約一万二千件だったはずです。一日あたり三十件ちょっとということになりますね」

「なるほど。よく知っているな」

「そうしたことも必要かもしれないと思い、出がけに調べてきました」

「さすがだね。草薙が頼りにするのもわかる」

「草薙さんが？　私をですか」

「君には彼にないものがたくさんあるからね」

「えっ、そうでしょうか」薫は思わず口元が緩みそうになった。「たとえば何ですか」

「たとえば女性特有の直感力、女性特有の観察力、女性特有の頑固さ、女性特有の執念深さ、女性特有の冷淡さ……もう少し続けようか」

「結構です。話を戻します。首都高の事故件数がどうかしたんですか」

「首都高の事故多発地点は十数ヵ所あるといったね。犯人は連日、それらの地点で事故が起きると仄めかす書き込みを、いくつかのインターネット上の掲示板に書き込んだとは考えられないだろうか。毎日三十件以上の事故があるなら、たまたま書き込んだ地点で事故が発生する可能性だって少なくない。すると二十六日、堀切JCTで事故が起きた。そこで犯人は、いかにも自分が起こした事故のように見せかけるため、犯行声明文を警察に送りつけ、予告状めいた書き込みのあるサイトを僕に知らせてきた――この推理はどうかな」

「あり得ることだとは思えますけど……じゃあ先生は、『悪魔の手』なんてものは存在しない、犯人のブラフだとおっしゃるわけですか」

「首都高での事故に関しては、そういう推理も成り立つんじゃないか、といっているわけだ。無論、両国での転落事故については、この推理では説明できないがね」

「首都高で毎日三十件以上の事故が起きているといいましたけど、全部が全部、重大事故というわけじゃありません。殆どは、被害の少ない軽微な事故です。事実、交通事故で亡くなる人は、東京全体で一日に一人いるかどうかというところなんです。今回の堀切ＪＣＴでの事故なんかも、一年のうちにそう何度もあることじゃありません。そういう事故が、たまたま犯人にとって都合よく起きたとは、私は考えにくいんですけど」

助手席で湯川が腕組みするのが、薫の視野に入った。

「交通事故による死者はその程度なのか。それは少し意外だったな。もっと多いのかと思った」

「警視庁のデータですから、実際の数字よりは若干少ないんですけどね。たとえば今回の堀切での事故死についても、警視庁の記録上は交通事故死にカウントされませんし」

「それはどういうこと？」

「警察庁の定義の問題です。事故から二十四時間以内に死亡した場合だけ、交通事故死として数えられるんです。今回の場合、意識不明の状態が二日近く続いてから死亡しましたから、この定義から外れることになります」

湯川がシートから身体を起こした。

「意識不明の状態が二日も？　それ、本当かい」

「正確には一日と二十時間ぐらいだと思いますけど。どうかしたんですか」

しかし湯川は答えない。薫が横目で窺うと、眼鏡のレンズの下に指先を入れ、両方の目頭を押さえている。

「もしかすると……そういうことかな」

「何か思いついたんですか」

「考えをまとめたい。どこかコーヒーの飲めるところに寄ってくれ」

「わかりました」パジェロはすでに高速道路を降りていた。カーナビを見ると、近くにファミレスがあった。


「……はい。そうですか。じゃあ、その記事が出たのは二十九日ですね。わかりました。どうもありがとうございます」

携帯電話を切り、薫はファミレスのテーブルに戻った。湯川が思案顔で席についている。彼の前にあるカップのコーヒーは、彼女が電話をかけに行く前よりも増えていた。どうやらおかわりを入れたらしい。

「確認してきました。やはり石塚清司さんの死亡が記事になったのは、二十九日の朝刊らしいです。二十七日の朝刊で、一度事故については記事になっているんですけど、その時点では意識不明の重体としか記述されなかったそうです。結果的に死人が出る大事故だったので、二十九日になって新聞社が続報を載せたようですね」

「両国での転落事故の記事が載ったのは……」

「二十一日の朝刊です」

湯川は満足そうに頷いた。

「これで疑問が解けた。犯人は新聞報道で事故を確認してから、例の犯行声明を投函している。二度目の事故後に三日も空いたのはそのせいだ。問題は、なぜそんなことをするのかということだな」

「被害者の名前を知りたいからじゃないでしょうか。犯人は犯行声明文に被害者の名前を書いています。二十七日の第一報では、詳しい名前までは載らなかったみたいなんです」

「なぜそんなことをする必要がある？　被害者の名前なんか書かなくても、これこれこういう事故を起こしたと書けば十分だ」

「名前を書いたほうがインパクトがあると思ったんじゃないですか」

「そうかな。犯行声明を三日も遅らせるほどの価値があるとはとても思えない。僕は、犯人は被害者の死亡にこだわっているのだと思う」

「どういう意味ですか」

「一番最初に届いた文書の内容を覚えているかい？　たしか、こういう表現があった。自分は悪魔の手を持つ者だ。その手を使えば、自在に人を葬ることができる。警察は被害者の死を事故と判断するだろう――違ったかな」

「いえ、概ねそういう内容だったと思います」

「犯人は、悪魔の手を使えば人を殺せると宣言しているわけだ。事故に見せかけて殺せると。つまり犯行声明を出すのは、被害者の死を確認してからと考えているのかもしれない」

「じゃあ、もし被害者が死ななければ、犯行声明は出さないというんですか。たとえ被害者が死ななくても、意のままに事故を起こせるのなら、それで十分に凄いことだと思うんですけど」

「いや、きっとそういうわけにはいかないんだ」

「どうしてですか」

湯川はにやりと笑った。

「面白い。なるほどそういうことか。なぜ犯人がインターネットにこだわるのか気になっていたんだが、もしかしたらその謎が解けたかもしれない」

「どういうことですか。説明してください」

「その前に、君にやってもらいたいことがある。この十日間に都内で起きた交通事故について調べてほしい。特に重要なのは場所と状況だ」

「十日間……すべての交通事故をですか。死亡事故だけじゃなく」

「死亡事故は不要だ。それ以外の事故をリストアップしてくれ」

「湯川先生、さっきもいいましたけど、東京では一日に発生する交通事故件数は百から二百件です。十日間となれば、その十倍ということになります」

「そうなのか。で、それがどうかしたのか」

他人事だと思って無茶をいわないでくれ——その台詞《セリフ》を薫は呑み込んだ。こちらは捜査に協力してもらっている立場なのだ。

「何でもないです。事故の起きた場所を調べたら、今度はどうするんですか」

「決まっている。ネット上を検索するんだよ」

「ネットを？」

その時、薫の携帯電話が鳴った。草薙からだった。

「何かわかったか」いきなり尋ねてきた。

「湯川先生が何か思いつかれたようです」

「それはよかった。じゃあ、一刻も早く『悪魔の手』の正体を解明してくれといってくれ。洒落《しゃれ》にならない事態が発生した」

「どうしたんですか」

「ある企業に『悪魔の手』からの脅迫状が届いた。厄介なことに本物だ。例の乱数表の数字も付けてあった」

「ある企業って？」

「遊園地だ」

8

『東京ラフターパークの諸君へ。

私は「悪魔の手」である。偽物かもしれないと疑うなら、この手紙を警視庁に持っていけばいい。捜査一課の連中が、本物だと断言してくれるだろう。

さて私が君たちに手紙を書くことにしたのは、ある要求のためである。

といっても金銭を欲しているわけではない。

私が要求するのは、次の月曜日から一週間の休業だ。東京ラフターパークに客を入れることを禁ずる。無論、ライトアップや音楽を流すことも禁止だ。

この要求が聞き入れられない場合、東京ラフターパークを訪れた客に対し、「悪魔の手」を発動させることになる。わかっていると思うが、私を阻止することは警察には不可能だ。彼等は「悪魔の手」がどういうものかさえもわかっていない。

命令に従ったほうが身のためだ。　　　悪魔の手　　え行B列　13』

薫は脅迫状のコピーから顔を上げた。会議机の向かい側で草薙が吐息をついた。

「今日、事務所に届いたらしい。封筒も用紙も、これまで警視庁に届いたものと同一だ。印字に使ったプリンタも同じ。で、いうまでもないだろうが、乱数表の数字も一致している。正真正銘の本物ということだ」

「そのことをラフターパーク側に教えたんですか」

「もちろん教えた。担当者は、さすがにびびってた。『悪魔の手』については連日マスコミが報道してるし、偽物による脅迫が跡を絶たない状態だ。そんな中で、ついに本物から脅迫状が届いたとなれば、血の気が引くのも無理はない」

薫は頷いた。『悪魔の手』の偽物が、ネットを中心に跳梁跋扈《ちょうりょうばっこ》しているのは事実だった。つい先日も、『悪魔の手』というハンドルネームで、中学校を爆破するという予告状がネットの掲示板に書き込まれた。犯人はその学校に通う生徒で、自宅のパソコンから書いたらしい。『悪魔の手』を名乗れば皆が怖がるだろうと思った、とあっけらかんと話していたという。

この偽物騒動だけでも沈静化させるため、つい先日、再び捜査一課長の木村が会見を開いた。その内容は、本物の『悪魔の手』か否かを見分ける術が警視庁にはあるので、偽物たちの悪戯行為は無意味である、というものだった。しかし今のところ効果はあまりないようだ。

「で、どうするんですか。休業するんですか」

「現在、ラフターパークの役員たちが協議中だ。だけどあの様子じゃ、たぶん要求に従うだろうな」草薙は唇を嚙んだ。「客に万一のことがあったら、後で叩かれるのは必至だからな」

「犯人はラフターパークに恨みを持つ者でしょうか」

「その可能性もあると思って、弓削《ゆげ》たちを本社に行かせた」間宮がいった。弓削も彼の部下で、現在は草薙と同じく主任を務めている。

「だけど、どうかな。一週間の休業は遊園地にとっては痛手だろうけど、恨みを晴らすという意味では手ぬるい気がする」草薙が首を傾げる。

「じゃあ、犯人の目的は何なんですか。何のために遊園地を休業させるんですか」

「それがわからんから弱ってるんじゃないか」草薙は頭を掻きむしった。「湯川は謎を解けそうなのか」

「まだ何ともいえませんが、調べてほしいことがあるといわれました」

「どんなことだ」

「この十日間に東京都内で起きた交通事故について、その地名やキーワードをネットで検索するんだそうです。犯人が掲示板に犯行予告を書き込んでおきながら、被害者が死亡しなかったために犯行声明文を送らなかった事故――そういうケースがきっとどこかに存在するということでした」

男は目を覚ますと、まず枕元の時計を確認した。午前十時を少し過ぎている。頭が少し重いのは、遅くまで酒を飲んでいたからだ。酔わないと眠れなくなったのは、一年ほど前からだ。

布団から這い出し、テーブルに置いたままの双眼鏡を手にして窓に近づいた。深呼吸を一つしてからカーテンを開けた。

遠くに遊園地の観覧車がある。双眼鏡を覗き、焦点を合わせた。観覧車のゴンドラの一つを凝視する。一番頂上にある青色のゴンドラだ。

二十秒ほど見続けた。しかしゴンドラの位置は変わらない。青いゴンドラは、一番上で停止している。

彼は双眼鏡を放り出し、机のパソコンを起動させた。さらにインターネットで、あるホームページにアクセスした。

たった今まで見ていた観覧車の写真がモニターに現れた。その写真を背景に文字が並んでいる。

『お詫び
誠に勝手ながら、設備のメンテナンスのため、本日より休業させていただきます。

皆様方には大変御迷惑をおかけいたしますが、何卒御理解のほどお願い申し上げます。

再開日につきましては、当ホームページ上にてお知らせいたします。

東京ラフターパーク』

それを見て、男は笑いがこみあげてくるのを抑えられなかった。畳の上で大の字になり、声を出さずに笑った。

やった。俺はやったぞ。どんな連中も、今は俺のことを恐れている。誰も俺には逆らえない――。

9

『歌声にメロメロ　陶酔ドライバー　22日20時13分

昨日の番組、私も見ました。やっぱり素敵な声ですよねえ。感激しました。

運転中も彼女のCDをかけています。

明日の23日、首都高四号新宿線の上り車線、代々木PAに近づいたところで彼女の曲をボリュームいっぱいにしてかけます。たまたま通りかかった方、歌に陶酔して、事故を起こさないように気をつけてね。』

プリント用紙から顔を上げた間宮に、「どうですか」と草薙は訊いた。

「たしかに、これまでの書き込みと雰囲気が似ているな」間宮はいった。「どこで見つけたって？」

「若手女性歌手の応援サイトだそうです」

「そんなところにあるものを、よく見つけたな」

「内海によれば、丸二日かかったらしいです」草薙は苦笑した。だが内心では、彼女の気力と執念に感服していた。

交通事故の起きた地名をキーワードにしてインターネット上を検索しろ、と指示したのは湯川らしい。その目的は、犯人の失敗例を探し出すことにあるということだった。

草薙は内海から聞いた説明を思い出していた。

「犯人はネットの掲示板に犯行予告を書き込み、翌日、その通りに実行しようとします。でも、必ずしも成功するわけではありません。うまくいかなかった場合は、犯行声明文を警察に送らず、犯行予告の存在を湯川先生に知らせることもないのだと思われます。問題は、うまくいかなかった場合とは、どういう場合かということです。事故を起こせなかったということなら、犯人にとって当然失敗です。でも犯行声明文が送られてきたタイミングから察すると、事故が起きても被害者が死亡しなかった場合には、失敗と捉えているふしがあります。明らかに、死亡記事が出てから声明文を投函しているんです。ということは、被害者が死ななかったために犯行声明文を出せなかった事故が存在する可能性は極めて高いはずです。もちろんその場合、犯行予告がどこかの掲示板に書き込まれていることになります」

この仮説に基づいて内海薫は、最近十日間に起きた交通事故に関連する言葉を片っ端からインターネットで検索したそうだ。まずは首都高で起きた事故に絞って調べたらしい。それが正解だった。二十三日の午後、首都高四号新宿線の上り車線で、若い女性の運転する乗用車が側壁に接触するという事故が起きている。そこで内海薫は、『首都高四号』、『新宿線』、『運転』、『代々木ＰＡ』、『23日』といったキーワードで、ネット上を検索した。そうして見つかったのが、間宮が見ている書き込みだ。

「事故は軽微なもので、運転していた女性の怪我も大したことはなさそうです」草薙はいった。

「なぜ犯人は被害者の死亡にこだわるのかな」間宮が首を捻る。

「それです。湯川は、そこに『悪魔の手』の弱点があるのではないかと考えているようです。死んでないということは、被害者たちは『悪魔の手』について何か知っている可能性があるわけです」

「そうか。そういう被害者から話を聞けば、何かわかるかもしれないということだな」

間宮の言葉に、草薙はにやりと笑いながら頷いた。

「今頃、内海が聞いているはずです」

天辺《あまべ》恭子の職場は日本橋にあった。家具や内装を扱う会社で、彼女はインテリアデザイナーの肩書きを持っていた。

日頃は客を相手にしているはずの接客ロビーで、天辺恭子は幾分緊張している様子だった。警視庁の人間が突然職場に訪ねてきたのだから無理もなかった。しかも彼女は、薫の横にいる男性も刑事だと思っていたようだ。物理学者だと説明すると、目を丸くし、次にぱちぱちと瞬きした。

「天辺さんは二十三日に事故を起こしておられますよね。そのことについてお尋ねしたいんです」

薫がいうと、天辺恭子は不安げに視線を揺らせた。

「あたし、正直に全部答えたんですけど……」

「それはわかっています。その上で話を伺いに来たんです。天辺さんに対して、新たに何らかの罰則が発生するということではありませんから、どうか気軽にお話しになってください」薫は笑顔を意識しながらいった。

はあ、と天辺恭子は曖昧に頷く。

薫は湯川に目配せした。彼にバトンを渡すという意味だった。

「警視庁の記録によれば、突然目眩《めまい》がしたということですが、もう少し具体的に話していただけませんか」湯川が口を開いた。「どういう種類の目眩でしたか」

「どういうっていわれましても……」天辺恭子は困ったように眉尻を下げた。「ぐるぐると目が回るような感じです。立ってるのも無理なくらいの。だからハンドルをどうきっていいのかわからず、だからといって急ブレーキを踏むわけにもいかなくて、何とかしなきゃと焦ってるうちに壁に当たっちゃったんです」

「これまでに、そういうことはありましたか」

天辺恭子は強く首を振った。

「そんなこと、今までに一度もありません。あの事故の後、検査をしてもらったんですけど、特に何も異状はないといわれました。診断書をお見せしても構いません」

湯川は苦笑を浮かべた。

「病気を隠して運転していたんじゃないか、と疑っているわけではありません。すると、その時初めてそんな症状が出たわけですね」

「そうです」

「その症状が出る前、何かを飲食しませんでしたか」

「いえ、何も口に入れてません。お酒だって、飲んでなかったし」

「症状は目眩だけですか。ほかに何か異変は起きませんでしたか」

「目が回ったのと、それから耳鳴りです」

「耳鳴り？」

「目眩が起きるより先に、耳鳴りがし始めたんです。耳が詰まって、ぐわーんと奥で響くような感じがありました」その時の感覚が蘇ったのか、彼女は不快そうに眉をひそめた。

「メニエール病の症状に似ていますね」湯川はいった。

天辺恭子は、ぴんと背筋を伸ばしてから頷いた。

「病院でも、最初はそういわれました」

「でも検査の結果、そうじゃないと判明したわけですね」

「そうです。結構、細かい検査をしたんです。最終的には、ストレスか何かが原因で、一時的にそんな症状が出たんだろうっていわれましたけど」

「それ以後、同様の症状が出たことは？」

「ありません。ただ、怖いので運転は控えてます」

「それがいいでしょうね」湯川は薫のほうを見て小さく顎を引いた。質問は終わりらしい。

天辺恭子に礼を述べ、二人は会社を後にした。

「何かわかりましたか」通りに出てから薫は訊いた。

「ヒントらしきものは摑めた。問題は、どうやって立証するかだが——」

「じゃあ、そのヒントだけでも聞かせてください」

「いや、まだ仮説としても不十分なんだ。もう少し時間をくれ」

薫は苛立ち、首を振った。

「先生、御存じですか。『悪魔の手』は、今週になってから三通も脅迫状を出しています。それによってコンサートやイベントが中止になったり、マラソン大会が延期になったりしているんです。犯人は図に乗っています。『悪魔の手』と名乗れば、誰もが逆らえないと思っているんです。こんなこと、いつまでも許しておくわけにはいきません」

「コンサートにイベントにマラソンか。その前は遊園地だったな。どうやら犯人は、他人が楽しむのが面白くないらしい。かなり暗い性格なんだろうな」

「そんな呑気なことをいってる場合じゃないんです。犯人の要求は、これからきっとエスカレートしてきます。金銭を要求してくるのも時間の問題なんです。先生、これは単なる研究じゃないんですから、どうか私に――」

「単なる研究だなどと誰がいった」湯川の目が眼鏡の奥で光った。「今回の犯人のことを、僕は心の底から軽蔑している。どういうわけで僕に敵愾心《てきがいしん》を持っているのかは知らないが、罪もない人間を二人も殺し、それによる脅迫効果をゲームのように楽しんでいる犯人を、僕は絶対に許さない。何としてでも見つけだし、罪を償わせてみせる」

だから、といって彼は薫に向かって柔らかく微笑んだ。

「もう少し時間をくれ。大丈夫、そんなには待たせない」

薫は彼の目を見返し、黙って頷いた。

10

男はパソコンの前にいた。インターネットに接続し、様々な情報に触れようとしていた。

彼がネット上を徘徊する目的は一つだ。次なるターゲットを探しているのだ。

今や『悪魔の手』の神通力は絶対だ、と思っている。その名で脅迫すれば、どんな企業も逆らえない。誰もがいいなりだ。

ある株取引の掲示板では、『悪魔の手』の目的は株で儲けることではないか、という憶測が流れている。たとえば、ある企業の株を空売りした後、『悪魔の手』がその企業を狙っているという情報を広めるのだ。当然のことながら株価は下がる。そこで買い戻せば、多額の利益を得られるわけだ。

なるほどそういう使い方もあるのか、と男は目から鱗が落ちた思いがした。彼はこれまで、『悪魔の手』を使って金銭を手にしようと考えたことは一度もなかった。

そして、これからもない。

彼が求めているのは名誉だけだった。本来ならば手に入れられたはずのものだ。自分の真の能力を世の中の人間たちに見せつけることこそが、現在の最大の望みだった。

報道されているところによれば、警察だけでなく政府首脳までもが、『悪魔の手』について頭を悩ませているらしい。愚かなことだ、と思う。文系の学問にばかり頭を使ってきた連中など、『悪魔の手』の敵ではない。

いっそのこと国を脅してやるか――ちらりとそんなことを考えた。政治家や役人どもの給料を半分にしろ。六十歳以上の議員はクビにしろ。指示に従わなければ、国民を毎日一人ずつ『悪魔の手』で葬るぞ。そんなふうに脅迫したらどうなるか。

男は苦笑を浮かべた。それはいくらなんでも無茶だ。連中が従うはずがない。そもそも政治家や役人たちは、国民の命など何とも思っちゃいない。

やはり脅すなら企業だ。脅迫状を無視したばかりに犠牲者が出た、ということになれば企業イメージはどうしようもなくダウンする。犠牲者が、その企業の消費者とか利用者であれば尚のことだ。

男はパソコンの画面を見つめながらマウスを操作する。脅すのにふさわしい企業が、どこかにないだろうか。今、話題になっている企業のほうが脅し甲斐がある。

ネット上での話題を探してみた。トピックスが並んでいる。

彼の目が、ある文章を捉えた。『悪魔の手』という言葉が入っていたからだ。「『悪魔の手』は恐るるに足らずと例の物理学者が語る」とある。すぐにクリックした。

〈「悪魔の手」と名乗る正体不明の人物からの脅迫事件が続いている。コンサートやショーなどのイベントが中止に追い込まれ、先日はマラソン大会も急遽取りやめになった。東京ラフターパークの休園も、じつは「悪魔の手」に脅迫されたためだったことも判明している。今のところ警察としても打つ手がない模様だ。自在に死亡事故を起こせる「悪魔の手」は、正体不明なだけに不気味だが、これからも脅迫に屈するしかないのだろうか。そこで、いくつかの怪事件において警視庁に協力したというT大学物理学科のY准教授に尋ねてみたところ、じつに意外な答えが返ってきた。

「脅迫に従うのはナンセンスです。なぜならこれまでの調査で、『悪魔の手』は特定の場所で事故を発生させることは出来ても、特定の相手を事故死させられないことが判明しているからです。犯人は犯行声明文に被害者の名前を記していますが、明らかに報道によって知り得たものです。つまりどこの誰かもわからずに殺したのです。意図的に無差別殺人を行っているわけではありません。無差別にしか狙えないのです。そういう意味で『悪魔の手』とは、爆弾魔や放火魔と変わらないということになります。これまでにも爆弾魔や放火魔による企業への脅迫はありました。その場合の対処法は、徹底した警備だったはずです。『悪魔の手』の脅迫に屈するのはナンセンスだというのは、そういう理由からです」

なんと、「悪魔の手」には特定の個人を狙う力はないとのこと。そういえばこれまでに発表された犯行予告状では、被害者の個人名は記されていない。記されているのは場所と日にちだけだ。なるほど、たしかに爆弾魔や放火魔と同じ扱いでいいということになる。

最後にY准教授に「悪魔の手」とはどういうものかを推理してもらった。

「単純な従来科学でしょう。爆弾魔や放火魔から身を守る時と同様、不審物や不審人物に気をつけるのが一番大事だと思います」

なるほど。「悪魔の手」、恐るるに足らずということらしい。〉

男は拳を握りしめていた。その拳で机を叩いた。パソコンが小さく跳ねた。

単純な従来科学――その言葉が彼のプライドを傷つけた。怒りの炎に油を注いだ。

そういうことならこちらにも考えがある、と思った。『悪魔の手』について何ひとつ解明できていないにもかかわらず、侮蔑的な発言をする輩は許せない。特にそれがあの男ということなら、断固思い知らせる必要がある。

男は立ち上がり、腕組みしたままで部屋の中を歩き回った。やがて足を止めると、本棚に近づいた。そこから一冊のファイルを取り出した。

タイトルは、『超高密度磁気記録における磁歪制御に関する研究』となっている。

この論文を壇上で発表した時のことが、昨日のことのように脳裏に蘇った。若き研究者に、期待と疑いの混じった視線が注がれる。そんな中、スクリーンに、頭の硬い連中の目を見開かせるような研究成果が次々と映し出された。彼は自信を持って、それら一つ一つに解説を付け加えていった。その声には勢いがあった。発表は無事に終わった。彼は勝利を確信していた。自分の将来への道が拓けた瞬間だと思った。

質問の時間になった。予想された質問、ありきたりの質問、的外れな質問が投げかけられる。彼の姿勢がぐらつくことはない。的確に、わかりやすく、時には相手を見下ろした気分で答えていく。

司会者の声。ほかに何か質問はございませんか――。

あるわけがない。彼がそう思った時、後方から手が挙がった。やけに長い手だった。

一人の男が立ち上がった。男は名乗ってから、質問をしてきた。

その男が口にした質問を聞き、彼は狼狽した。あまりにも思いがけない内容だったからだ。動揺が口調に表れた。それまでの流暢な応答とはうってかわり、たどたどしく答えた。しかもその内容が聴衆を満足させるものでないことは、彼自身にもわかった。

質問をした男は、さらに突っ込んで尋ねてはこなかった。そのことが一層彼を傷つけた。未熟な研究者を武士の情けで見逃してやる――そんなふうに感じられたからだ。

壇上から降りた彼に勝利の手応えなど残っていなかった。たった一つの質問のせいで、華やかに開きかけていた扉が閉じたのだ。

あの瞬間だ、と彼は思った。

あれからすべてが狂い始めた。敷かれたレールから少しずつ外れていき、気がついた時にはまるで違う方向へと進んでいた。本来、自分が全く望んでいなかった道だ。

それでも何とかして、勝利者になろうと努力を続けた。いつかは光り輝けると信じて生きてきた。

しかし、ついにその日は来なかった。そして最後の宝である由真さえも失った。

あの時の借りを返さなければ――。

彼はパソコンの前に座り直した。帝都大学、と打ち込み検索した。すぐに帝都大学のホームページが見つかった。クリックし、アクセスする。

それから約二十分後、男はある情報を入手していた。片手でメモを取りながら、声を出さずに笑い始めた。

ノックをしたが、相手の返事を待たずに薫はドアを開けた。湯川が部屋にいることは電話で確認してある。

彼はパソコンの前に座り、キーボードを叩いているところだった。

「どういうつもりなんですか」薫は湯川の背中に尋ねた。語気が強くなる。

彼が椅子を回転させ、彼女のほうを向いた。

「さっきの電話でも思ったことだが、ずいぶんと機嫌が悪いようだな」

「どうしてあんなことをしたんですか」

「何のことだ」

「とぼけないでください。インタビューは受けないといってたじゃないですか。それなのに、どうしてあんな記事がネット上に流れてるんですか」

「君も読んだのか」

のんびりした口調が薫の神経を逆撫でする。

「当たり前です。草薙さんも怒っています。どういうことなのか、事情を聞いてこいといわれました」

「君たちに文句をいわれる筋合いはないと思うけどね。そもそも君たちの落ち度で、僕のことがマスコミに知られるようになった。それで取材の申込みが殺到した。仕方なく、そのうちの一つを受けた。それでどうして僕が責められなきゃいけないんだ」

「だったら、取材を受ける前に相談してください。私は事件に関する様々な資料を先生に提供しました。それによって推理したことを勝手にメディアに明かすのはルール違反です」

薫の剣幕に気圧《けお》されたのか、湯川は少し顔をしかめて黙り込んだ。

彼女は吐息をついた。

「どういうことですか。なぜ急に取材を受ける気になったんですか。あんなに嫌がってたのに」

　すると湯川は悪戯が見つかった子供のような笑顔を作った。それから真顔に戻り、薫を見つめてきた。

「今週末、一緒に行ってもらいたいところがある」

「どこですか」

「うちの大学の研究施設が葉山にある。そこで、『悪魔の手』の再現実験を行おうと思っている」

　薫は目を見開いた。

「ついにわかったんですね、『悪魔の手』の正体が」

「断言は出来ない。だから実験をする必要があるんだ」

「じゃあ、鑑識にも声をかけましょうか。それとも科捜研のほうがいいですか」

　しかし湯川は首を振った。

「そこまで大袈裟にする段階じゃない。とりあえず、君一人で来てくれ。草薙には、僕のほうから事情を説明する」

　湯川の目には真剣な思いを込めた光が宿っていた。仮説に基づいた実験に自信があるということのようだ。

　わかりました、と薫は答えた。

11

土曜日の午前十一時、薫が研究室に行くと、湯川がスーツ姿で待ち受けていた。彼女は目を丸くして、「どうしたんですか、その格好」と訊いた。実験にはふさわしくないと思ったからだ。

「白衣姿で葉山まで行くわけにはいかないだろう。これでもまともな社会人のつもりだ」

「あ、そうですね」

湯川は大きなスポーツバッグを抱えていた。

「実験器具はそれだけですか」薫は訊いた。

「これはほんの一部だ。大方のものはすでに車に積んである。行こう」

バッグを提げて足早に部屋を出ていく湯川を、薫はあわてて追いかけた。

大学の駐車場にライトバンが用意されていた。助手席に段ボール箱が載っている。しかもシートベルトで固定されているようだ。

「これは？」

「計測器だ」湯川は答えながら後部ドアを開け、キーを薫に渡してから乗り込んだ。

「デリケートな機械なので、そこに置くことにした。何か問題があるかな」

「いえ、じゃあなるべく揺らさないように運転します」

「そう神経質にならなくてもいい。いつも通りの運転で結構だ」

「わかりました」

エンジンをかけ、車を発進させた。葉山の研究施設までの道順については、すでに聞いている。とりあえず湾岸線から横浜横須賀道路に入ればよさそうだ。

「向こうの研究施設には、実験を手伝ってくれる人がいるんですか。それとも先生が一人で実験されるわけですか」

「基本的には――」もったいをつけるように言葉を句切った後、湯川は続けた。「実験は一人で行う。で、君が手伝ってくれればいい」

「私が？」ハンドルをきり損ないかけた。「無理です。自慢ではありませんが、小学生の時から理科の実験は苦手なんです。リトマス試験紙の色が、私だけ変わらなかったし」

「リトマス試験紙？　それはどういう実験だ」

「覚えてません。とにかく、私には無理です」

「大丈夫だ。僕のいうとおりにしていれば問題ない」

「そんな……」

ハンドルを握る手の内側に汗をかき始めた。運転で緊張しているのではなかった。

高速道路は比較的すいていた。天気が良く、視界も良好だ。

「先生は、今度の犯人の目的は一体何だと思いますか。これまでに、金銭的な要求はしてきてないんですけど」

「さあね。いつもいっていることだが、僕は犯人の動機には興味がない」

車は大井南を通過し、京浜大橋を渡った。その先には空港北トンネルがある。その先には空港中央の出口がある。

ただ、と彼は続けた。

「犯人が自分の能力を世間に誇示したくてたまらない、というのはたしかだと思う。遊園地を休園にしたり、コンサートやイベントを中止するのは、『悪魔の手』の影響力をアピールするのに都合がいいと考えたからじゃないかな」

車は空港北トンネルを抜けた。空港中央の表示を左に見ながら、薫は真ん中の車線を選んで走る。広くて走りやすい三車線だ。後方から白いワンボックスバンが迫ってくるのが、ドアミラーに映った。かなりスピードを出しているようだ。

「アピールそのものが目的だというんですか」

「その可能性はある。もしかしたら犯人には、自分の実力を不当に低く評価されているという思いがあるのかもしれないいな」

「そんなことで、これだけの事件を起こすんですか。だとしたら、相当に根の暗い人間ですね」

「明るいとか暗いとかの問題じゃない。傷つきやすいかどうかということだ。そして科学者というのは、傷つけられることが多い」

多摩川トンネルに入った。周囲の車はかなりスピードを出している。頻繁に車線変更を繰り返す車がいたりして、危険を感じる。薫はヘッドライトを点灯させた。

「先生も傷つけられることがあるんですか」

「もちろんだ」

「へえ、そういう時は一体どうやって――」

傷を癒すんですか、と訊いたつもりだった。だがその自分の声が聞こえなかった。鼓膜が詰まったような感覚がある。

気がつくと、すぐ横をワンボックスバンが併走していた。そちらのほうから奇妙な音が聞こえてくる。低い音だ。ざわざわと胸騒ぎに似た不快感が胸に押し寄せてくる。

何よ、これ――そういったつもりだった。しかしその声も彼女には聞こえなかった。その代わりに不快な音が耳から離れない。首を振っても、音は顔にまとわりついてくる。

やがて激しい目眩が彼女を襲った。視界が回転する。シートに座っていることも困難なほどで、ハンドルをどう操作していいかわからなくなった。ブレーキを踏もうと思った。だがブレーキの位置がわからない。足で探ろうとするが、目が回ってうまく探れない。

このままだと事故を起こす――そう思った時、両腕をぐいと摑まれた。さらに頭に何かを載せられる感触があった。

「腕の力を抜け」耳元で声がした。

気がつくと、湯川が後ろから身体を乗り出し、彼女の両腕を摑んでいた。車は無事に真っ直ぐ走っている。さらに目眩はすっかり消えていた。

「あっ……もう大丈夫です」

「平衡感覚は戻ったかい？」

「戻りました」

よし、といって湯川は彼女の腕を離した。併走していたバンは、すでに前方に離れつつある。

湯川が携帯電話を取り出す気配があった。

「見ていたと思うが、今のワンボックスバンだ。……うん、わかった。後は任せるよ」

彼が電話を切った直後、後方から一台のセダンが薫たちの車を追い抜いていった。助手席に座った草薙が親指を立てるのが見えた。さらに三台の覆面車両が赤色回転灯を点灯させながら走っていく。

「どういうことですか」薫は声を張って尋ねた。

「さっきいったじゃないか。君に実験を手伝ってもらったのさ」湯川は平然と答えた。

草薙たちが白いワンボックスバンの捕捉に成功したのは、東扇島出口を出たところだった。応援の捜査員が運転する覆面車両と協力して周りを取り囲み、そのまま高速道路を降りさせたのだ。

自分たちが囮《おとり》になるから、犯人が現れたら逮捕してほしい——研究室に呼び出され、そんなふうに湯川からいわれたのは一昨日のことだ。無論、草薙にはわけがわからなかった。

「取材を受けたのは、犯人を挑発するのが目的だった」湯川は説明した。「『悪魔の手』は特定の個人をターゲットに出来ない——僕がそう発言したことで、犯人はプライドを傷つけられたはずだ。必ず、特定の個人を狙った犯行を成し遂げようとするだろう。だが犯人にはクリアすべき問題があった。どこの誰を狙うかを、どうやって予告しておくかということだ。いつものようにネットの掲示板に書き込むという手は使いにくい。書き込まれた個人名を、その人物本人、あるいは親しい人間が目にするおそれがあるからだ。そうなれば必ず大騒ぎになる。だからといって郵送はもっと難しい。予告状が届く前に、犯行のチャンスがあるかどうかが不明だからだ。結局犯人としては、どこの誰を狙うかを予告することは極めて困難ということになる。予告せず、しかし『悪魔の手』には特定の個人を狙う力があることを証明するにはどうすればいいか。僕は犯人が選ぶ道は一つだと思う」

「『悪魔の手』の弱点を指摘した人物を狙う、ということか」

「犯人は僕に対して敵愾心を持っているようだから、間違いなく狙ってくると思う。しかも餌も撒いておいた」

「餌？」

「これだ」そういって湯川はパソコンの画面を示した。

そこには帝都大学のホームページが表示されていた。さらに理工学部物理学科の最新情報を伝えるコーナーには、次のように記されていた。

『磁性物理と核磁気共鳴法についての研究会　座長・湯川学（第十三研究室　准教授）

日時　6月7日　午後一時

場所　帝都大学葉山キャンパス2号館第五会議室』

「何だこれは」

「ちょっとした勉強会の案内だ。ただし、実際に開催するわけじゃないがね」

「これが餌だというのか」

「犯人は僕に関する情報を得ようとするだろう。当然、大学のホームページも覗くに違いない。で、これを見たらどう思うか。おそらく、チャンスと考えるはずだ」

「これのどこがチャンスなんだ」

「葉山キャンパスは、じつに不便な場所にあってね、東京からだと電車とバスを乗り継ぐ必要がある。大抵の場合、車を利用する。犯人は、僕も車で移動するはずだと予想するだろう。それはつまり犯人にとってはチャンスなんだ」

「犯人は、おまえが車で移動しているところを狙うというのか」

「たぶんね。だから車の運転は内海君にしてもらいたい。で、犯人が現れたら、君たちが逮捕するんだ」

「ちょっと待ってくれ。おまえは民間人だ。そんな危険な真似はさせられない」

「僕以外の誰にも、この役目は果たせない。なぜなら犯人のターゲットは僕だからだ」

「そういうふうにおまえが仕掛けたんだろ。どうして先に相談してくれなかった」

「相談すれば、反対していたんじゃないか。反対するのはいい。犯人逮捕の代替案があるというのならね」

草薙は唸った。

「警察は無能じゃない」

「わかっている。だから君たちを信頼し、進んで囮になろうといってるんだよ」

草薙は頭を振り、大学時代からの親友を見た。科学を悪用する人間は許さないという思いは十分に伝わっていた。柔軟な発想を展開させる一方、科学者としての生き方に関しては頑固に信念を貫く男だ。

「内海はこのことを知っているのか」

「彼女は知らない。知らせないほうがいいと思う。犯人はどこかから僕たちを見張っている。彼女が演技をすれば、ばれるおそれがある」

「おまえが狙われるということは、内海も危険だってことじゃないのか」

「わかっている。彼女の安全は保証する」湯川は断言した。

その後、草薙は湯川から、『悪魔の手』の正体とその対策について聞かされた。それらは草薙には十分に理解できるものではなかったが、もはや後戻りは出来なかった。湯川を信じるしかないと腹をくくった。

そして今、『悪魔の手』を操っていた人物が目の前にいる。

捜査員たちによってワンボックスバンから引きずり出されたのは、青白い顔をした痩せた男だった。前髪を切りそろえ、眼鏡をかけている。男は怯えの色を露わにしていた。小刻みに震えているのが、少し離れたところからでもわかった。

抵抗することなく、男は覆面車両に乗せられた。あっけない逮捕劇だった。

ワンボックスバンのスライドドアを開けた捜査員たちが、驚嘆の声を上げていた。草薙は彼等の後ろから覗き込んだ。

直径五十センチほどの中華鍋のようなものが、車体の左側を向くように設置されていた。そこに電気コードや複雑な機器が繋いである。

湯川の推論通りだな、と彼は思った。

12

ファイルを見つめる湯川の表情に変化はなかった。怪訝そうに眉根を寄せているだけだ。

タイトルは、『超高密度磁気記録における磁歪制御に関する研究』となっている。研究者の名前は高藤英治。『悪魔の手』事件の犯人だ。

「どうですか」薫は訊いてみた。

「うっすらとだが記憶はある」

「やっぱり」

「ただし」湯川はファイルを閉じた。「僕はこの学会に出席していただけで、高藤なる研究者とは全く面識がない。したがって恨まれる覚えもない」

「高藤によれば、先生に難癖をつけられたんだそうです」

「それによって、科学者としての道をぶち壊しにされたとか」

「ちょっと待ってくれ」湯川は薫を制するように片手を上げ、きつく瞼を閉じた。しばらくその姿勢を続けた後、目を開けた。「たしかにその研究発表の場で質問はした。だけど難癖をつけたわけじゃない。僕としては、ごくふつうの質問をしただけだ」

「どういう質問ですか」

それは、といいかけて湯川は空咳をひとつした。

「専門的なことを話してもわからないと思うから、簡単に説明しよう。彼の研究はなかなか面白いものだったが、ひとつだけ欠点があった。それは、ごく限られた条件下でしか有効に機能しない、ということだった。その点について彼は、条件管理は将来的にはさほど困難ではなくなるだろう、という見解を示していた。そこで僕は質問したんだよ。もしその条件管理が困難でなくなるなら、磁界歯車方式のほうが、あなたの方式よりも安価だし効率的だと思うが、とね。ちなみに磁界歯車方式というのは、僕が考案した高密度磁気記録のアイデアだ。それに対して彼は、経済性だけを追求しているわけではない、という意味のことをいっていた。納得は出来なかったけど、僕は反論しなかった。やりとりは以上だ。どうだい？　これでも難癖をつけたことになるのか」

「難癖？」

「私にはよくわかりません。ただ、高藤自身はそう捉えているようです」

湯川は肩をすくめ、ふん、と鼻を鳴らした。

「ところで、例の装置の分析で、鑑識に協力してくださったそうですね。お礼をいっておいてくれと担当者からいわれました」

「礼をいわれるほどのことじゃない。個人的にも興味があったしね」

「音を使って、あんなことが出来るなんて知りませんでした。先生は、天辺さんの話を聞いた時から気づいていたんですか」

「何らかの方法で平衡感覚を狂わされたんじゃないかとは思った。堀切ＪＣＴで事故を起こした車も、突然蛇行運転を始めたということだったしね。また、両国の転落事故についても説明がつく。どんなにベテランの職人でも、平衡感覚を失ったら、立っていることさえ出来なくなる」

「人の平衡感覚を狂わせるなんてことが出来るんですね」

「耳の奥には内耳と呼ばれる器官があり、平衡感覚を司っている。だからそこに何らかの刺激を加えれば、人は平衡感覚を失ってしまう。問題はどういう刺激を加えるかということだが、一番手っ取り早いのは電流だ。だけど離れたところから他人の耳に電流を流すのは難しい。そこで音ではないかと考えた。周波数を選べば、外耳や中耳を飛び越えて、内耳を直接刺激することは可能だからね。実際、そういう周波数の音を発する音響兵器が外国には存在する。ただし、それでもまだ問題がある。もし犯人がそんな音を鳴り響かせたのだとしたら、証言者が何人も出てくるはずだ。だが実際には一人も出ていない。これは一体どういうことか。で、思いついたのが超指向性スピーカーだ。手短に説明すると、音を超音波に載せて遠くに届かせる装置だ。音は殆ど広がることなく、ピンポイントで届く」

「その推理は見事に当たってたわけですよね。犯人の車に積んであった中華鍋のようなスピーカーが、それだったんでしょう？」

「うん。鑑識と一緒に調べたが、見事な性能だ。君は運転中に不快な音を聞かされたわけだが、後部座席にいた僕には全く聞こえなかったからね。また、装置には十二秒で電子音を鳴らすタイマーが付いていた。被害者の平衡感覚を狂わせるには、最低でもそれぐらいの時間、不快音を聞かせなければならないということなんだろうな」

薫は頷いた。これらの話を聞かされただけでは、今ひとつ実感がわかなかっただろう。しかし彼女は実際に体験しているだけに、「自分にだけ聞こえた不快音」の威力は、誰よりもわかっているつもりだ。

「ライトバンの助手席に段ボール箱を置いてあっただろ。じつは中身は空っぽだった」湯川はいった。「あれは僕が後部座席に座るための理由付けだった。助手席に座れば、僕も君と同様に『悪魔の手』の洗礼を受けてしまうからね」

「そういうことだったんですか。ところで、私が平衡感覚を狂わせた時、先生はヘッドホンのようものを付けてくださいましたよね。その途端に感覚が元に戻りました。あれは何だったんですか」

「これかい？」湯川が傍らのバッグから取り出してきたのは、まさしくあの時のヘッドホンだった。

「そうです」

「説明するより、体験してもらったほうが話が早い。ちょっと付けてみてくれ」

差し出されたヘッドホンを薫は自分の頭に取り付けた。

「これでいいですか」

「そのまま、左側についているスイッチを押してみてくれ」

薫はいわれた通りにした。するとその途端、身体が大きく傾いた。椅子から落ちそうになる。

「えっ、これ、何ですか。えっ、どうなってるの」

湯川が笑いながら近寄ってきて、スイッチを切った。同時に感覚も元に戻った。

「さっきいっただろ。内耳を刺激する一番手っ取り早い方法は電流を流すことだって。このヘッドホンは、微弱な電流を内耳に流すことで、平衡感覚をコントロール出来るようになっている。今は狂わせるような設定になっているが、あの時には、どんな外的要因があっても、正常な平衡感覚を保てるように設定してあったんだ」

「それですぐに元に戻ったんですね」

「君にハンドル操作を誤られたら、こっちも危ないからね」湯川はそういってから首を捻った。「しかし今回の罪状はどうなるのかな。殺人罪で起訴できるんだろうか。犯人は被害者たちの平衡感覚を狂わせただけだからね。傷害致死ってところじゃないのかな」

「いえ、殺人で起訴します」薫はいった。

「大丈夫なのか」

「ええ」彼女は、しっかりと顎を引いた。「ところであの超指向性スピーカーは、高藤が勤めていた会社で開発されたものだそうです。その会社で高藤は、つい最近まで超音波技術の研究主任をしていました」

「していました……過去形だな」

「大幅な組織の入れ替えがあって、高藤は研究部門から外されたんです。それで頭にきたらしく、辞表を提出しています。時期的に見て、『悪魔の手』による犯行を始めたのは、その直後のようです」

「会社を辞めて、やけになったか。くだらない」

「いえ、やけになったのは事実のようですが、会社が原因ではありません」

「じゃあ、何が原因だ」

薫は小さく吐息をついてから答えた。

「恋人を殺されたのが原因です」

「えっ、そうなのかい」

「高藤の部屋を捜索したところ、つい最近まで同棲していた女性が消えていたんです。高藤に尋ねてみたところ、殺されたというんです」

「誰に？」

薫は唇を舐めた。

「湯川先生に、です」

湯川が愕然としたように目を見開いた。その顔を眺めながら薫は続けた。

「高藤は、そういっています」

13

正面に座った草薙という刑事は、何かを観察するような目を向けてきた。俺の内面を探ろうとしているのだ、と高藤英治は思った。おまえなんかに何がわかる、わかってたまるものかと彼は心で罵倒した。

「遺体の身元が確認できたよ。河田由真さんに間違いないということだ」

高藤は黙っていた。当たり前だ、と思った。奥秩父の山中に隠したのは彼自身だ。警察は、その話に基づいて遺体を発見したにすぎない。

「河田さんの実家に問い合わせた。彼女が山形の出身だということは知ってたか？　三年前に役者を目指して上京。その後、バイトなどをして食いつないでいたようだが、最近はどうしているのか、両親も把握していなかったらしい。あんた、彼女とはいつどこで出会ったんだ？」

高藤は口を開いた。

「半年ほど前です。渋谷の劇場で会いました。席が隣で、向こうも一人で、それで話が合って……」もっと堂々としゃべりたいが、いざ声を出す段になると萎縮してしまう。敬語なんか使わなくてもいいと思っているのに、乱暴な口をきけない。

「それですぐに同棲したってわけかい？」

「彼女がうちで暮らすようになったのは、会ってから一か月ほど経ってからです。家賃が払えなくて、アパートを追い出されそうだというので、うちに来ないかと誘ってみたんです。彼女は喜んでやってきました」

あの頃の由真はかわいかった、と当時のことを回想し、高藤は切なくなった。家で由真が待っていると思うと、毎日が楽しくて仕方がなかった。

だがそんな夢のような日々が、突然暗転した。きっかけは会社が断行した不当な人事異動だ。何と、高藤を研究部門から外すというのだ。

「君だけが外されるわけじゃない。研究部門を縮小するわけだから、当然技術者も余ってしまうわけだ。これからは少数精鋭で行くというのが社長の方針でね。聞くところによれば、超指向性スピーカーに君のアイデアはさほど反映されなかったということだし、これからは製造部門で力を発揮してくれればいいよ」上司は、へらへらと笑いながらそんなふうにいった。

俺は精鋭ではないというのか――高藤は傷ついた。それは瞬く間に怒りに転化した。その勢いで辞表を書いた。

家に帰ると、由真にそのことを報告した。彼女も同意してくれると確信していた。常々彼女は、「英治君は天才だよね」といってくれていた。

だが彼が会社を辞めたと知り、由真は信じがたい言葉を吐いた。

馬鹿じゃないの、といったのだ。

「仕事なんて何だっていいじゃない。三十過ぎのおっさんが会社を辞めてどうすんの？やばいよそれ。参ったなあ。プーかよ」

「俺は自分の実力を認めてくれるところでしか働きたくないんだ」

「はいはい、わかったわかった。もういいよ。好きにすりゃいいよ」そういうと由真は自分の洋服をバッグに詰め始めた。

「何やってるんだ」

「見てわかんない？　出ていくんだよ。付き合いきれないよ。金を稼げないんなら、一緒にいる意味ないし。そろそろ出ていこうと思ってたから、ちょうどいいや」

由真は携帯電話を取り出し、メールを打ち始めた。その背中を見つめながら、高藤は血が頭に上るのを感じた。脈も速くなっていた。意識がぼうっとしてきた。

「で、同じことを何度も訊くようで悪いんだけど」草薙の声が高藤の意識を現実に引き戻した。「どうして殺したわけ？」

高藤は震えるように小刻みに首を振った。

「殺してません……」

草薙が、げんなりしたように口元を曲げた。

「そんな嘘、通用するわけないだろ。遺体の首にさ、爪痕があったんだよ。首を絞めた時についたものだ。その爪痕からさ、あんたの爪垢が見つかってるんだ。ＤＮＡ検査で判明してる。それでもしらを切る気かい？」

高藤は首を折った。刑事の厳しい視線が耐えられなかった。

メールを打っていた由真の背中は覚えている。その後、気づいた時には彼女は動かなくなっていた。

どうしてこんなことに——懸命に自問自答を繰り返した。

会社があんなことをいいださなければ。研究部門から俺を外さなければ。いや、そもそもあんな会社に入ったのが間違いだった。もっとほかに入りたい会社はあった。入れるはずだった。自分の大学院での研究に関心を持っていた企業はあった。学会で発表し、高い評価を受けて、それを引っさげて入社する気だった。だが会社側は掌を返した。彼の研究に興味をなくしていた。

あの学会での出来事がすべてだ。

湯川とかいうどこかの准教授が難癖をつけた。あれで躓《つまず》いた。あそこから何もかもがうまくいかなくなった。

マスコミで話題になったT大のY准教授は、じつは湯川のことだというのは、最近になって知り合いから聞いた。その知り合いは帝都大学の出身だったのだ。誇らしげに週刊誌のコピーを出してきた。高藤はそれをもらうと、自宅の壁に押しピンで留めた。いつかは見返してやる、という思いを消さないためだった。

由真の遺体を見下ろしながら、今がその時だと思った。あの男にも歯が立たない事件を起こしてやる。自分の優秀さを世間の連中に示す時だ。

「もう一度訊くよ」草薙がいった。「あんたが殺したんだろ？」

高藤は口を動かした。息が乱れた。

「あいつのせいです。湯川のせいです。それで……それで……由真は死んだんです」

14

草薙が『久保田　萬寿』の一升瓶を机に置くと、湯川の右側の眉がぴくりと動いた。心が反応している時に見せる癖だということは、長年の付き合いでわかっている。

「いずれきちんと礼はさせてもらうが、今回は手土産として持ってきた」

「別に礼をしてもらおうとは思わないが、これは遠慮なく受け取っておこう」湯川は一升瓶を手にすると、自分の机の下に置いた。

「内海から聞いたと思うが、犯人は同棲していた女を殺していた。まあ同棲といっても、女のほうには元々長く居着く気はなかったようだ。一緒にいれば金に困らないし、留守中は好き放題が出来るってことで、気紛れで住んでただけらしい。遊び仲間には、近々出ていくっていってたそうだ。ところが高藤のほうは、かなりのぼせあがってたみたいだな。ああいうタイプはやばいんだよなあ」草薙は高藤の青白い顔を思い出していた。

「とにかくそっちの殺人だけでも起訴できるわけだが、『悪魔の手』事件のほうもある。検察がおまえにアドバイスを求めるかもしれないから、ひとつよろしく頼むよ」

湯川は答えず、草薙に背を向けたままインスタントコーヒーを入れ始めた。

草薙は頭を搔いた。

「おまえには悪いことをしたと思ってるよ。俺たちのせいで、妙な事件に巻き込まれることが増えた。今後は、こういうことは極力ないように気をつける。だからどうか、機嫌を直してくれ」

湯川が二つのマグカップを手に戻ってきた。一方を草薙の前に置いた。

「僕は別に機嫌を悪くしちゃいない。事件に巻き込まれるのは困りものだがね」

「だから、そういうことは起きないようにするって。でもさ、今度の事件でもわかるように、犯罪はどんどん複雑化している。ハイテクを使ったケースも増えるだろう。そういう時、おまえのような人材はやっぱり必要なんだ。これに懲りず、今後も力を貸してほしい」

湯川は仏頂面でコーヒーを飲んでいる。答える気はなさそうだ。

「今回の捜査で、おまえのことをいろいろと調べさせてもらったよ」

草薙の台詞に、湯川は眉根を寄せた。

「僕の何を調べたんだ」

「一言でいうと人間関係だ。『悪魔の手』は、おまえに敵愾心を持った科学者だと睨んだからな。そういう人物が周辺にいないか、聞き込みをしたわけだ。刑事としては当然のことだ」

「ふうん、それで結果は？」

「結論からいうと、おまえが警察の捜査に協力していることについて、悪くいっている人間は殆どいなかった。人間としての評判はともかく、科学者としてのおまえは、非常に評価されているし、尊敬もされている。つまりおまえが警察に協力をすることは決してメリットがないことでは――」

「ちょっと待ってくれ」湯川が手を出して草薙を制した。「人間としての評判はともかく、とはどういうことだ」

「ああ……」草薙は顎をこすった。「それはひとまず置いといて、という意味だ」

「置いとかなくていい。人間としての評判はどうだというんだ」

草薙は息を吸い、ややむきになっている友人の顔を見返した。

「聞きたいか？」

「そりゃあもちろん――」そういった後、湯川は咳払いをし、首を振った。「いや、聞かないでおこう。人がどう思おうと僕は自分の信じる道を進むだけだ」

「そうか、でもこれだけはいっておこう。みんなおまえのことを、科学者としては素晴らしいといっている」

「もういい」湯川は椅子にもたれ、マグカップを傾けた。

初出誌

落下る――「オール讀物」二〇〇六年九月号
操縦る――「別册文藝春秋」第二七四号
密室る――「GIALLO」二〇〇八年夏号
指標す――書き下ろし
攪乱す――「別册文藝春秋」第二七六号

単行本

二〇〇八年十月　文藝春秋刊

本書の無断複写は著作権法上での例外を除き禁じられています。
また、私的使用以外のいかなる電子的複製行為も一切認められておりません。

文春文庫

ガリレオの苦悩《くのう》

定価はカバーに
表示してあります

2011年10月10日　第1刷

著　者　東《ひがし》野《の》圭《けい》吾《ご》

発行者　村上和宏

発行所　株式会社 文藝春秋

東京都千代田区紀尾井町 3-23　〒102-8008
TEL 03・3265・1211
文藝春秋ホームページ　http://www.bunshun.co.jp

落丁、乱丁本は、お手数ですが小社製作部宛お送り下さい。送料小社負担でお取替致します。

印刷・凸版印刷　製本・加藤製本

Printed in Japan
ISBN978-4-16-711013-0

（　）内は解説者。品切の節はご容赦下さい。

東野圭吾
秘密
妻と娘を乗せたバスが崖から転落。妻の葬儀の夜、意識を取り戻した娘の体に宿っていたのは、死んだ筈の妻だった。推理作家協会賞受賞の話題作、ついに文庫化。（広末涼子・皆川博子）
ひ-13-1

東野圭吾
探偵ガリレオ
突然、燃え上がる若者の頭、心臓だけ腐った死体、幽体離脱した少年。奇怪な事件を携えて刑事は友人の大学助教授を訪れる。天才科学者が常識を超えた謎に挑む連作ミステリー。（佐野史郎）
ひ-13-2

東野圭吾
予知夢
十六歳の少女の部屋に男が侵入し、母親が猟銃を発砲。逮捕された男は、少女と結ばれる夢を十七年前に見たという。天才物理学者が事件を解明する、人気連作ミステリー第二弾。（三橋　曉）
ひ-13-3

東野圭吾
片想い
哲朗は、十年ぶりに大学の部活の元マネージャー・美月と再会。彼女が性同一性障害で、現在、男として暮らしていると告白される。しかし、美月は他にも秘密を抱えていた。（吉野　仁）
ひ-13-4

東野圭吾
レイクサイド
中学受験合宿のため湖畔の別荘に集った四組の家族。夫の愛人が殺され妻が犯行を告白、死体を湖に沈め事件を葬り去ろうとするが……。人間の狂気を描いた傑作ミステリー。（千街晶之）
ひ-13-5

東野圭吾
手紙
兄は強盗殺人の罪で服役中。弟のもとには月に一度、獄中から手紙が届く。だが、弟が幸せを摑もうとするたび苛酷な運命が立ち塞がる。爆発的ヒットを記録したベストセラー。（井上夢人）
ひ-13-6

東野圭吾
容疑者Ｘの献身
直木賞受賞作にして、大人気ガリレオシリーズ初の長篇、映画化でも話題を呼んだ傑作。天才数学者石神の隣人、靖子への純愛と、石神の友人である天才物理学者湯川との息詰まる対決。
ひ-13-7

赤川次郎
マリオネットの罠
私はガラスの人形と呼ばれていた——。森の館に幽閉された美少女、都会の空白に起こる連続殺人。複雑に絡み合った人間の欲望を鮮やかに描いた、赤川次郎の処女長篇。（権田萬治）
あ-1-27

我孫子武丸
弥勒《みろく》の掌《て》
妻を殺され汚職の疑いをかけられた刑事と、失踪した妻を捜し宗教団体に接触する高校教師。二つの事件は錯綜し、やがて驚愕の真相が明らかになる！　これぞ新本格の進化型。（巽　昌章）
あ-46-1

愛川　晶《あきら》
六月六日生まれの天使
記憶喪失の女と前向性健忘の男が、ベッドの中で出会った。二人の奇妙な同居生活の行方は？　究極の恋愛と究極のミステリが合体。あなたはこの仕掛けを見抜けますか？（大矢博子）
あ-47-1

乾《いぬい》　くるみ
イニシエーション・ラブ
甘美で、ときにほろ苦い青春のひとときを瑞々しい筆致で描いた青春小説——と思いきや、最後の二行で全く違った物語に！「必ず二回読みたくなる」と絶賛の傑作ミステリ。（大矢博子）
い-66-1

歌野晶午
葉桜の季節に君を想うということ
元私立探偵・成瀬将虎は、同じフィットネスクラブに通う愛子から霊感商法の調査を依頼された。その意外な顚末とは？　あらゆる賞を総なめにした現代ミステリーの最高傑作。
う-20-1

逢坂　剛
禿鷹《はげたか》の夜
ヤクザにたかり、弱きはくじく史上最悪の刑事・禿富鷹秋《とくとみたかあき》——通称ハゲタカは神宮署の放し飼い。だが、恋人を奪った南米マフィアだけは許さない。本邦初の警察暗黒小説。（西上心太）
お-13-6

大沢在昌
心では重すぎる（上下）
失踪した人気漫画家の行方を追う探偵・佐久間公の前に立ちはだかる謎の女子高生。背後には新興宗教や暴力団の影が……。渋谷を舞台に現代の闇を描き切った渾身の長篇。（福井晴敏）
お-32-1

文春文庫　ベストセラー（ミステリー）

（　）内は解説者。品切の節はご容赦下さい。

北方謙三
やがて冬が終れば
獣はいるのか。ほんとうに、自分の内部で生き続けてきたのか。私自身が獣だった。昔はそうだった。私の内部の獣が私になり、私が獣になっていた。ハードロマン衝撃作。（生江有二）
き-7-2

桐野夏生
グロテスク（上下）
あたしは仕事ができるだけじゃない。光り輝く夜のあたしを見てくれ——。名門女子高から一流企業に就職し、娼婦になった女の魂の彷徨。泉鏡花文学賞受賞の傑作長篇。（斎藤美奈子）
き-19-9

篠田節子
夏の災厄
東京郊外のニュータウンで日本脳炎発生。撲滅されたはずの伝染病が今頃なぜ？　後手に回る行政と都市生活の脆さを描き日本の危機管理を問うパニック小説の傑作。（瀬名秀明）
し-32-1

柴田よしき
小袖日記
不倫に破れて自暴自棄になっていたあたしは、平安時代にタイムスリップ！　女官・小袖として『源氏物語』執筆中の香子さまの片腕として働き、平安の世を取材して歩くことに。（堺　三保）
し-34-9

真保裕一
トライアル
ゴールを見つめ、彼らはひた走る。競輪、競艇、オートレース、競馬。四つの世界に賭けるプロの矜持と哀歓を描く「逆風」「午後の引き波」「最終確定」「流れ星の夢」を収録。（朝山　実）
し-35-1

高橋克彦
緋《あか》い記憶
思い出の家が見つからない。同窓会のため久しぶりに郷里を訪ねた主人公の隠された過去とは……。表題作等、もつれた記憶の糸が紡ぎ出す幻想の世界七篇。直木賞受賞作。（川村　湊）
た-26-3

髙村　薫
地を這う虫
——人生の大きさは悔しさの大きさで計るんだ。夜警、サラ金とりたて業、代議士のお抱え運転手……。栄光とは無縁に生きる男たちの敗れざるブルース。「愁訴の花」「父が来た道」等四篇。
た-39-1

浅田次郎
月のしずく
きつい労働と酒にあけくれる男の日常に舞い込んだ美しい女。出会うはずのない二人が出会う時、癒しのドラマが始まる――表題作ほか「銀色の雨」「ピエタ」など全七篇収録。（三浦哲郎）
あ-39-1

井上ひさし
青葉繁れる
青葉繁れる城下町の東北一の進学校。頭の中はいつも女の子のことばかり。落ちこぼれの男子五人組がまき起こす、愛すべき珍事件の数々。ユーモアと反骨精神溢れる青春文学の金字塔。

い-3-27

伊集院　静
羊の目
男の名はサイレントマン。神に祈りを捧げる殺人者――。戦後の闇社会を震撼させたヤクザの、哀しくも一途な生涯を描き、なお清々しい余韻を残す長篇大河小説。（西木正明）
い-26-15

石田衣良
池袋ウエストゲートパーク
刺す少年、消える少女、潰し合うギャング団……命がけのストリートを軽やかに疾走する若者たちの現在を、クールに鮮烈に描いた人気シリーズ第一弾。表題作など全四篇収録。（池上冬樹）
い-47-1

伊坂幸太郎
死神の精度
俺が仕事をするといつも降るんだ――七日間の調査の後その人間の生死を決める死神たちは音楽を愛し大抵は死を選ぶ。クールでちょっとズレてる死神が見た六つの人生。（沼野充義）
い-70-1

小川洋子
妊娠カレンダー
姉が出産する病院は、神秘的な器具に満ちた不思議の国……妊娠をきっかけにゆらぐ現実を描く芥川賞受賞作。「妊娠カレンダー」「ドミトリイ」「夕暮れの給食室と雨のプール」。（松村栄子）
お-17-1

大沢在昌
魔女の笑窪
闇のコンサルタントとして裏社会を生きる女・水原。男を一瞬で見抜くその能力は、誰にも言えない壮絶な経験から得た代償だった。美しいヒロインが、迫りくる過去と戦う。（青木千恵）
お-32-7

文春文庫　最新刊

ガリレオの苦悩　東野圭吾
警視庁のみならず、湯川学を名指しで挑発する、犯人の意図とは？

鷺と雪　北村　薫
戦争の足音が聞こえる昭和初期を良家の令嬢の視点で描く直木賞受賞作

一手千両　なにわ堂島米合戦　岩井三四二
世界初の先物市場・大坂堂島で、弱小仲買の吉之介が乾坤一擲の大勝負

切り絵図屋清七　**紅染の雨**　藤原緋沙子
切り絵図屋となった清七が思いを寄せるおゆりの秘密。シリーズ第二弾

少年少女飛行倶楽部　加納朋子
中学一年の海月が入部した飛行クラブ。部員たちは空に舞い上がれるか

三国志　第七巻　宮城谷昌光
熾烈な戦いを勝ち、天の志を受け、曹操が魏王に。怒濤の第七弾

出島買います　長崎奉行所秘録　伊立重蔵事件帖　指方恭一郎
長崎で力を持つ二十五人の出島商人。そこに二十六人目を名乗る男が

君たちは何のために学ぶのか　榊原英資
マーケットと世界の仕組みから教える、全く新しい生き方入門

闘将伝　小説　立見尚文　中村彰彦
日清日露で奮迅の活躍をし、佐幕派ながら陸軍大将となった名将の生涯

菊の御紋章と火炎ビン　「ひめゆりの塔」「伊勢神宮」で襲われた今上天皇　佐々淳行
「昭和50年」に何があったのか。当時の現場責任者が明かす衝撃の事実

税務署の復讐　ババァ・ウォーズ3　中村うさぎ
[illegible]

時を刻む砂の最後のひとつぶ　小手鞠るい
人生の残された時間を懸命に生きる男女が織りなす、狂おしい恋愛模様

株式会社という病　平川克美
なぜ企業不祥事が繰り返される？　株式会社の抱える問題の本質に迫る

一朝の夢　梶　よう子
朝顔栽培が生き甲斐の同心が幕末の政情に巻き込まれる。松本清張賞受賞

田原坂　小説集・西南戦争〈新装版〉　海音寺潮五郎
西南戦争に材をとった作品と、未発表作品を含めた、十一の傑作短編

昭和の終わりと黄昏ニッポン　佐野眞一
天皇崩御、バブル、宮崎勤ｅｔｃ．昭和と平成の狭間で起きた事件を探る

あなたに、大切な香りの記憶はありますか？　阿川佐和子、石田衣良　角田光代、熊谷達也　小池真理子、重松　清　朱川湊人、高樹のぶ子
〝香り〟を題材に八人の作家が描く作品集

いっぴきの虫　高峰秀子
松下幸之助、有吉佐和子、藤山寛美ｅｔｃ．高峰秀子の珠玉の対談集

美女という災難　'08年版ベスト・エッセイ集　日本エッセイスト・クラブ編
各界の名文家たちが綴った、「ちょっといい話」五十四編

不眠症　上下　スティーヴン・キング　芝山幹郎訳
不眠症に苦しむ老人ラルフが見た不気味な医者。邪悪な何かが迫り来る

犬があなたをこう変える　スタンレー・コレン　木村博江訳
人間社会に犬はどうやって溶け込み、影響を与えてきたか。面白話満載